Eu compro essa mulher

Cristiane Costa

EU COMPRO ESSA MULHER

Romance e consumo nas telenovelas brasileiras e mexicanas

Jorge Zahar Editor
Rio de Janeiro

2000
Direitos para esta edição contratados com:
Jorge Zahar Editor Ltda.
rua México 31 sobreloja
20031-144 Rio de Janeiro, RJ
tel.: (21) 240-0226 / fax: (21) 262-5123
e-mail: jze@zahar.com.br
site: www.zahar.com.br

Capa: Carol Sá e Sérgio Campante

CIP-Brasil. Catalogação-na-fonte
Sindicato Nacional dos Editores de Livros, RJ.

Costa, Cristiane

C871e Eu compro essa mulher: romance e consumo nas telenovelas brasileiras e mexicanas / Cristiane Costa. — Rio de Janeiro: Jorge Zahar Ed., 2000

Inclui bibliografia
ISBN 85-7110-568-5

1. Telenovela brasileira. 2. Telenovela mexicana. 3. Romantismo. I. Título. II. Título: Romance e consumo nas telenovelas brasileiras e mexicanas.

CDD 530.09
00-1070 CDU 82-24:659.3

Agradecimentos

A Ana Clara Costa Cavalher por toda paciência e amor.

Aos meus pais e irmão pelo enorme apoio.

A Muniz Sodré pela orientação segura, apontando, mais do que erros e acertos, novos caminhos.

A Beatriz Jaguaribe e Heloisa Buarque de Holanda pelo incentivo e leitura atenta.

A Ana Cláudia de Souza pelas ótimas dicas, assim como a Vivian Wyler.

Ao CNPq pela bolsa que possibilitou essa pesquisa, realizada dentro do Programa de Pós-graduação da Escola de Comunicação da Universidade Federal do Rio de Janeiro.

A Paulo Roberto Pires por tudo.

Sumário

INTRODUÇÃO
OU CENAS DOS PRÓXIMOS CAPÍTULOS

Desde quando se compra uma mulher?

O título deste livro foi tomado de empréstimo de uma das mais famosas obras da rainha do melodrama, a cubana Glória Magadan, que tanto influenciou a telenovela brasileira com seu delírios românticos e exóticos. Exibida em 1966 pela TV Globo, a história foi adaptada pela televisão mexicana mais de três décadas depois. Como se o tempo não tivesse passado, *Yo compro esa mujer* repetiu o êxito inicial em 1990. Mas o título agora bem que poderia ser outro: *Eu vendo para essa mulher*.

É justamente para investigar as afinidades entre amor romântico e consumo que este livro vai se voltar para as telenovelas latino-americanas, comparando dois modelos de ficção de inegável apelo popular: o *culebrón* mexicano, francamente melodramático, e a novela brasileira, com seu padrão Globo de qualidade e temática modernizante. Contrariando as regras básicas desse padrão, as novelas mexicanas vêm invadindo a TV brasileira com o aparente anacronismo de suas Cinderelas mal disfarçadas em mocinhas supermaquiadas e mal vestidas. Na década de 90, mexicanização virou sinônimo de kitsch, sentimentalismo e popularesco. Paralelamente, o México também viveu uma espécie de "abrasileirização" do formato tradicional de seus *culebróns*. Temas modernizantes, como a crítica ao narcotráfico, à misoginia da sociedade e à corrupção política, saltaram do noticiário direto para as novelas. A qualidade estética também foi elevada, através de um investimento substancial num "padrão Azteca de qualidade", que multiplicou o custo de cada capítulo e cooptou atores consagrados do cinema e do teatro, não mais jovens inexperientes formados pela própria TV, para integrar os elencos das telenovelas. Mas como conceitos retóricos e estéticos tão diferentes convivem e dividem o mesmo público nos dois países?

Embora Argentina, Venezuela e Colômbia também possuam uma indústria vigorosa, com características fortemente locais, optou-se por focalizar a pesquisa no México e no Brasil, os maiores centros produtores de telenovela do continente. A tão propalada natureza melodramática latino-americana é hoje o principal produto de exportação cultural da região. Exibidas em mais de 100 países, em lugares tão distantes quanto a Romênia e a China, as telenovelas continuam parando cidades e provocando verdadeiras ondas de comoção nacional. Num mundo globalizado e voltado para o consumo, não é de se estranhar que certos gêneros narrativos se tornem transnacionais. Afinal, os sonhos românticos são praticamente os mesmos.

Mas, para entender o que estamos subliminarmente exportando, junto com os beijos e lágrimas de nossos melodramas, é preciso começar desnaturalizando toda essa ideologia romântica, mostrando que o amor, ou aquilo que culturalmente consideramos como envolvimento amoroso, tem uma história. Seu aparecimento na cultura ocidental é, em geral, relacionado a um breve período de opulência que ficou conhecido como a Renascença da Idade Média, por volta do ano de 1110, quando surge a idéia de amor cortês. Falando de paixões até então inomináveis, as histórias românticas têm, desde então, uma função bem mais complexa do que simplesmente disciplinar a sexualidade, didaticamente separando o permitido do proibido. De certa forma, elas vêm constituindo a própria forma desejante da sociedade ocidental.

Assim, alguns dos pontos básicos das narrativas românticas, como o triângulo amoroso, a valorização do indivíduo em relação à ordem social e a possibilidade de ascensão econômica através do casamento, foram lançados muito antes de sua apropriação pela cultura de massa. Um tipo de situação que carateriza esses textos até hoje — o desejo que é ao mesmo tempo dificultado por um obstáculo e continuamente renovado por ele — será fundamental para que se possa compreender mais tarde a relação entre romance o consumo.

Essas primeiras histórias de amor, desde o início bastante populares, desembocarão em dois ramos: o romance propriamente dito e o folhetim, na primeira grande divisão entre alta cultura e cultura de massa. Criado em 1836 por Émile de Girardin, o folhetim vai reestruturar a narrativa tradicional, prendendo a atenção dos leitores por meio de ganchos no final de cada capítulo publicado no jornal. O artifício, a promessa de porções diárias de emoções e da novidade em série, continuará a ser a essência da estrutura narrativa das telenovelas, mais de um século depois.

E também uma das promessas da sociedade de consumo. Junto com os folhetins, desenvolve-se outra febre, o bovarismo, o sonhar acordado, a fantasia de ser quem não se é. Trata-se de um complexo mecanismo de auto erotismo, cujo prazer não vem da estimulação sensorial, como o sexo, mas através da manipulação das emoções, como o amor. Rapidamente, a cultura de massa criará máquinas imaginativas, como o rádio, o cinema e a televisão, que passarão a ditar o volume dessas emoções. No tom mais alto, o melodrama.

O sentimentalismo, a pieguice, o kitsch serão música para os ouvidos das massas, enquanto a alta cultura procurará se afastar cada vez mais do que é popular, fugindo da contaminação da razão pela emoção. No entanto, toda a cultura, sem exceção, acabará participando da aceleração do ciclo de consumo, através de uma cadeia de imitação e distinção, em que a acumulação de capital cultural será também uma forma de exclusão social.

Assim como o folhetim foi um herdeiro exaltado do romantismo, a telenovela será sua legítima sucessora como gênero de ficção popular, ocupando boa parte da programação das emissoras latino-americanas. No Brasil, entre seis e nove novelas diferentes são exibidas ao longo do dia. Todas com o mesmo tema: as venturas e desventuras de casais apaixonados. Mas por que é preciso tanto falar de amor?

Este livro (originalmente uma dissertação de mestrado realizada na Escola de Comunicação da UFRJ, com auxílio de uma bolsa do CNPq) partiu de um projeto de se discutir questões de gênero, mais especificamente o papel reservado à mulher no mais privilegiado dos espaços da mídia: os preciosos minutos do horário nobre em que a televisão se dedica quase que exclusivamente a abordar temas como amor, sexualidade, moralidade e família. Mas a questão acabou se mostrando mais complexa. Grande mito da cultura contemporânea, o amor atinge a todos, embora não indiscriminadamente.

Não é difícil notar que os papéis sociais de homens e mulheres acabam, muitas vezes, sendo ditados pelas mesmas histórias que parecem meramente representá-los. Mas é preciso investigar de que forma — uma vez que já não é mais possível apelar para a confortável hipótese da onipotência dos meios de comunicação — podem ser mapeadas alterações nesses roteiros, que dêem conta dos conflitos, contradições e novos pactos sociais.

Os papéis reservados a homens e mulheres nas telenovelas brasileiras tendem a ficar ainda mais explícitos quando comparados aos das mexicanas. Num estudo de caso bastante revelador, são colocadas lado a lado as protagonistas Maria Eduarda (da novela brasileira *Por amor*, exibida pela TV Globo em 1997) e as *Marías* de *María Mercedes, Marimar e María la del barrio* (novelas mexicanas várias vezes reprisadas no Brasil pelo SBT, entre os anos de 1997 e 1998, depois de fazer sucesso no México em 1992, 1994 e 1996 respectivamente). Entre a Maria criada na Zona Sul do Rio de Janeiro e as várias Marías, cinderelas da periferia mexicana, quanta diferença. No entanto, certos traços continuarão os mesmos.

Há várias hipóteses para o sucesso das mocinhas inocentes protagonizadas pela estrela mexicana Thalia Ariadna na trilogia *Maria Mercedes, Mariamar e Maria do bairro*, cujo êxito provocou enorme celeuma no Brasil. Aparentemente, ele representaria a persistência de um gosto pelo dramalhão que já se supunha ultrapassado. Uma espécie de retorno do arcaico recalcado pelo processo de modernização brasileiro. Mas também pode ser uma demonstração de que o telespectador já percebeu que, ao trazer para a dramaturgia cada vez mais assuntos em pauta no noticiário, as novelas brasileiras fazem pouco mais do que maquiar, com tons de realidade e novidade, as mesmas velhas tramas codificadas no passado.

Cabe ainda perguntar se não estariam o kitsch, o brega e o melodramático enraizados na alma dos habitantes deste continente tão afeito ao melodrama. Mas essa parece ser uma dedução simplista quando se aponta a existência de um projeto mais amplo de *latinidad*, desenvolvido por especialistas de mercado através de um processo de estimulação do consumo nas classes populares. Projeto em que a ideologia do amor romântico, sem dúvida, exerce um papel extremamente importante.

afeito ao melodrama. Mas essa parece ser uma dedução simplista quando se aponta a existência de um projeto mais amplo de [illegible], desenvolvido por especialistas de mercado através de um processo de estimulação do consumo nas classes populares. Projeto em que a ideologia do amor romântico, sem dúvida, exerce um papel extremamente importante.

LIÇÕES DE AMOR

Ao contrário do que nos acostumamos a pensar, o amor pode não ser algo biologicamente determinado, mas culturalmente aprendido. Isso significa que o amor pode ter uma história. E que as regras do jogo de sedução, a separação entre o desejo legítimo e ilegítimo e os papéis reservados para cada sexo na sociedade podem ter sido ensinados pelas mesmas histórias de amor que parecem meramente representá-los. "A própria noção de fascinação romântica que governa o que dizemos sobre o amor, o que dizemos àqueles que amamos, o que esperamos que eles nos digam, como agimos e esperamos que eles ajam, é definida culturalmente por uma sociedade baseada no controle da sexualidade", afirma Howard Bloch.[1]

Na base desta construção está um gênero criado no século 12 para dar conta das paixões até então ignoradas pela cultura medieval. A literatura cortês teve uma função bem mais complexa do que simplesmente distinguir o permitido do proibido em matéria de amor e sexo. De certa forma, essas histórias românticas instauraram uma forma desejante que é a pré-história de um controle do imaginário exercido hoje com toda força pelas telenovelas.

"Uma sociedade só mostra de si mesma aquilo que julga conveniente exibir", adverte o historiador Georges Duby.[2] Seu comentário sobre as histórias celebradas oralmente pelos menestréis se adapta perfeitamente às formas contemporâneas de divulgação da doutrina do amor e à imagem projetada nas telas pelas damas do século 20:

> Todos esses textos foram feitos para ser declamados, e com freqüência cantados, diante de um auditório. Todos, mesmo os destinados a divertir, os romances, as canções, os contos satíricos, tinham a função

de ensinar. Não se preocupavam em descrever o que existia, tiravam da experiência cotidiana, e sem se proibirem de retificá-la totalmente, com elementos que proporcionassem uma lição moral. Afirmando o que se devia saber ou acreditar, buscavam impor um conjunto de imagens exemplares.[3]

O espectador de hoje, assim como o ouvinte medieval de ontem, não vê a realidade, mas é instruído pelas representações ficcionais sobre como conceber essa realidade de forma culturalmente aceitável. Se agora todos sabemos o que é o amor, e como ele funciona, isso "não quer dizer que não foi inventado como o fogo, a roda, o casamento, a medicina".[4] No entanto, declarar que o conceito de amor foi criado no século 12 é diferente de acreditar que não existissem afetos e paixões até esse momento. O que se afirma é que a cultura de valorização do amor romântico, tal qual conhecemos hoje, ainda não tinha sido inventada. Até o século 12, época triunfal da escolástica, as paixões, reprovadas pela tradição eclesiástica, também não encontrariam espaço na moral matrimonial. Seu lugar era fora da cultura. Segundo Paul Zumthor:

> Tudo o que vive foi encerrado, pelo homem medieval, em quadros racionais e teóricos, e o que não entra num desses quadros não tem valor de cultura, permanece repugnante selvageria. As paixões do amor ficam à margem do universo conceitual, tanto mais vivazes, indomadas, mas ao mesmo tempo privadas de linguagem e dessa relativa segurança que vale a inserção numa ordem.[5]

Essa linguagem, a linguagem romântica, será instaurada pela cortesia. O movimento, criado por algumas linhagens nobres, especialmente no oeste e noroeste da França, não tardou a se difundir por todo o Ocidente cristão. A palavra "cortês", historicamente, qualifica um conjunto de costumes adotados pelas cortes feudais mais suntuosas. Na prática, foi um conjunto de normas éticas e estéticas que governavam a relação entre os sexos.

> A essa tópica faltava ainda uma linguagem, quando, por volta do ano 1100, alguns poetas limusinos (os primeiros trovadores) deram-

lhe voz, conseguindo vencer a inércia de um pensamento incapaz de conceitualizar os movimentos do amor, de um idioma (o occitan, em breve o francês) impróprio até então para dizê-los. A nova tópica atinge o nível de manifestação verbal, engendra uma nova retórica, articulada por uma dialética original, cujo modelo abstrato é o das relações entre senhor e vassalo.[6]

Coube a essas poetas dar nome àquilo que os amantes modernos vão conhecer como paixão. Com isso, entram então em conflito os modos de pensamento veiculados por duas retóricas, contemporâneas mas distintas, no século 12: a linguagem dogmática da escolástica e a passional do amor cortês. Nos textos dessa época, como *Tristão e Isolda* e *A correspondência de Abelardo e Heloísa*, já está inscrita uma situação típica que prevalece até hoje na estrutura de toda telenovela: o obstáculo. E da mesma forma como o conhecemos: a de uma separação que, ao mesmo tempo em que interdita, intensifica o desejo.

Para olhos contemporâneos, tão treinados pela pedagogia romântica, esses textos também ocultam uma segunda revolução. O nascimento do amor como tema literário coincide com a aceitação, pela instituição eclesial, deste mesmo amor como base do casamento, acima dos arranjos paternos e das diferenças sociais, como aponta Howard Bloch:

> O ideal de amor cortês ... foi resultado de uma rivalidade entre duas ordens a respeito da questão da mulher: a primeira, a aristocracia leiga, que praticava um modelo de casamento que reservava a escolha dos parceiros aos pais, senhor ou tutor a fim de manter intacto o patrimônio; a segunda, a cultura eclesiástica, que, se não era mais simpática às mulheres, ao menos era mais simpática aos cônjuges.[7]

Somente no século 9 a Igreja católica iria cristianizar o casamento, finalmente aceitando a idéia de que era um mal necessário para aplacar a luxúria. Mais três séculos se passariam até que conseguisse impor a idéia de um casamento religioso para toda a população, ao mesmo tempo em que o interditava definitivamente para o clero. Houve revolta, principalmente entre os nobres, contra a instituição da monogamia, o fim do divórcio (ou repúdio da esposa infértil, como eram definidas na época mesmo as mulheres que tivessem gerado filhos apenas do sexo feminino) e, mais do que tudo, contra a definição de incesto como relações com parentes até o sétimo grau, o que dificultava as estratégias de aliança. O problema do incesto colocava questões muito mais de ordem política do que amorosa sob o domínio da Igreja, que tinha o poder de abrir ou não exceções.

Já a partir de 1090, surgiram evidências da formulação de um novo modelo matrimonial, definido não por imposição dos pais, mas pelo consentimento dos envolvidos.[8] Este modelo aparece no discurso teológico desenvolvido na região de Paris com uma preferência marcante pela doutrina do "puro consensualismo". Coincidência ou não, quando finalmente o papa Alexandre III, em 1163, subordinou toda a cerimônia pública, desde a aprovação dos pais até o dote, a uma simples troca de palavras entre os noivos, apareceram os primeiros romances clássicos do francês, os de Marie de France e Chrétien de Troyes. O tema principal: a rebelião dos filhos, movidos pelo amor, contra as ordens paternas. A hierarquia patriarcal começava a ser quebrada. Naturalmente, a idéia de que mulheres poderiam se casar contra a vontade dos pais não correspondia à realidade. Mas, mesmo como uma posição ideológica, segundo Bloch, "ela representou uma ameaça não só aos costumes tradicionais da nobreza como também à sua propriedade, uma vez que a escolha de um parceiro está ligada ao futuro de um patrimônio".[9]

No século 13, a bênção de um padre passou a ser exigida para a oficialização do casamento, assim como a presença de testemunhas. Só dois séculos mais tarde, em 1439, o Concílio de Florença fez do casamento o sétimo sacramento. A tese do consentimento mútuo baseado no amor prevaleceu, mas na prática o costume dos casamentos arranjados ainda continuaria por muitos séculos. E, com ele, o elogio ao adultério nos cantos dos trovadores e histórias românticas, como a de Tristão e Isolda. Para apaixonados como Abelardo e Heloísa, o casamento não era a finalidade de uma história de amor — ainda não existia a moral do "e foram felizes para sempre" —, mas sim seu fim.

Em pleno Renascimento, Romeu e Julieta se viram numa encruzilhada em meio a essa moral dúbia em relação ao matrimônio. Casada oficialmente pela Igreja, mas sem a aprovação e conhecimento da família, Julieta é obrigada pelo pai a se casar novamente, desta vez com o homem por ele escolhido. É uma história que deixa claro como a noção de escolha, que assegura a autonomia do indivíduo, já era viável. Mas também como entrava, muitas vezes, em conflito direto com os interesses coletivos numa época em que a sociologia da aliança ainda prevalecia sobre a psicologia amorosa. E o final para o sujeito desejante era a morte.

Mais tempo ainda se passaria até que se pudesse conceber, mesmo que num conto de fadas como *Cinderela*, que um rei pudesse desposar uma moça pobre movido por uma simples paixão à primeira vista. Na realidade, considera-se que o primeiro monarca a se casar declaradamente "por amor", numa escolha puramente pessoal, não movida por interesses estratégicos, foi a rainha Vitória, no século 19. A era vitoriana, mais identificada pelo puritanismo da moral burguesa, nos legou também o modelo de casamento tal como conhecemos hoje, com seus vestidos brancos, véus e grinaldas, e motivação exclusivamente romântica. Um modelo em que o casamento, e não o adultério, seria o veículo certo para canalizar as poderosas forças da paixão.

Abelardo e Heloísa ou o obstáculo

O amor impossível entre o filósofo Abelardo e a bela Heloísa foi contado em cinco cartas que correram o mundo. Mas já fazia parte do imaginário romântico muito antes de suas palavras arrebatadas serem publicadas pela primeira vez no final do século 13, quase 150 anos depois dos acontecimentos que relatam. A história, repleta de lances dramáticos — como a gravidez indesejada, um casamento às escondidas, a castração a sangue frio, terminando com os amantes recolhidos à vida monástica —, parece mais um melodrama.

E, na verdade, é. Há várias teorias sobre a origem do livro, mas os medievalistas concordam em um ponto: a coletânea não é o resultado puro e simples de uma colagem de cartas originais, mas um dossiê organizado — o que não quer dizer que nada seja verdadeiro. Todos desconfiam da *Historia calamitum*, uma espécie de autobiografia de Abelardo em forma de carta a um amigo anônimo, que funciona como uma providencial introdução à correspondência dos apaixonados, já mantidos à distância pelos muros eclesiais.

Há pelo menos quatro teorias nesse sentido: a correspondência seria uma coletânea autêntica, mas ligeiramente retocada no século seguinte; o conjunto do texto seria uma espécie de romance epistolar, com fins morais, de autoria do próprio Abelardo; as cartas trocadas com Abelardo teriam sido reescritas por Heloísa depois da morte do esposo, antes de difundi-las; e, finalmente, a hipótese mais radical, trata-se de um dossiê fictício, com base em lembranças transmitidas oralmente.

Sob vários aspectos, a paixão de Abelardo e Heloísa segue rigidamente o esquema cortês. Existem as canções românticas, que lisonjeiam a bela dama, e o obstáculo (primeiro a família, depois o convento para onde a noiva é enviada após o casamento e, por fim, a mutilação de Abelardo). O filósofo vacila entre o moralista que quer reparar o mal que causou (um filho ilegítimo) e o cortês, proibindo-se de viver o prazer conjugal para que ressurja o obstáculo que alimenta o amor. Quando é mutilado, o obstáculo se torna absoluto e, quase aliviado, Abelardo se dirige ao claustro, carregando a jovem Heloísa. Mas, contra a vontade do marido, ela rompe o muro de silêncio que aprisiona o desejo. E escreve páginas de denso erotismo:

> Não consigo suscitar em mim um arrependimento capaz de aplacar Deus. Não cesso, ao contrário, de acusar sua crueldade a teu respeito ... Longe de gemer as faltas que cometi, penso suspirando naquelas que não pude cometer.[10]

É interessante observar que tanto Abelardo renega o casamento, mandando Heloísa imediatamente para um convento (onde inicialmente o casal mantém ardorosos jogos amorosos) e deixando o filho do casal ser criado pelos avós na Bretanha, como a própria Heloísa acredita serem amor e casamento completamente incompatíveis. "Ela preferia o título de amante ao de esposa, e o considerava mais honroso para mim: ela estaria ligada a mim apenas pela ternura, não pela força do laço nupcial", conta Abelardo.[11]

Heloísa por ela mesma:

> Deixemos de lado o obstáculo que constitui a filosofia. Pensa na situação que uma aliança legítima te meteria: qual a relação entre os trabalhos da escolas e os cuidados de um lar, entre uma escrivaninha e um berço, um livro e uma roca de fiar, um estilete ou uma pena e um fuso? Quem, então, meditando a Escritura ou os problemas da filosofia, suportaria os vagidos de um recém-nascido, as canções da ama que o embala, a multidão barulhenta dos servos e servas, a sujeira habitual da infância? Os ricos o podem, me responderá. Sem dúvida, pois seus palácios, suas casas, têm apartamentos reservados.[12]

É possível imaginar o caráter "burguês" do que seria a família de Abelardo e Heloísa. A palavra *bourgeois* já era usada na França no início do século 11, referindo-se aos habitantes da cidade em oposição aos do campo. Diferente do aristocrata, que vivia em um castelo, do clérigo, que vivia em mosteiros, ou do servo, que vivia num casebre, o burguês vivia numa casa. Nessa casa, além de um porão, não havia divisões, apenas um grande cômodo, onde as pessoas cozinhavam, comiam, trabalhavam, entretinham os convidados e dormiam, todas juntas. "Não havia o conceito de privacidade tal como o conhecemos hoje", afirma Witold Rybczynski.[13] Conceito que mais tarde seria fundamental para estabelecer novos vínculos entre amor e casamento na era vitoriana.

Heloísa, por mais romântica que seja, não tem ilusões de que o amor possa ser a base de um casamento eterno. Para ela, o amor é antes de mais nada uma transgressão.

Tristão e Isolda ou o triângulo amoroso

O triângulo amoroso, que em todas as suas variações será explorado pela literatura romântica e mais tarde pelas telenovelas, é o tema central dessa história em que o obstáculo toma sua forma mais comum na Idade Média: o marido. O casamento, como lembra Duby, não era para qualquer um. Evitando dispersar os bens da família, em geral apenas o primogênito se casava oficialmente. Hordas inteiras de jovens solteiros (e filhos bastardos) conviviam nas cortes. Para eles, as leis transgressoras do amor romântico eram a esperança de concretização do desejo (não apenas por uma mulher, mas por uma dama). E mais do que isso, elas determinavam este desejo, ao instituírem que a dama deveria ser casada e de status superior. Nesse sentido, obstáculo e transgressão estão intimamente associados a outro elemento de natureza também binária: o domínio e a submissão. Há um jogo de imitação na gênese desse desejo. Trata-se, antes de mais nada, de uma paixão triangular, como esclarece Duby:

> A orientação da política familiar nas dinastias aristocráticas, o cuidado que se tinha de casar apenas um dos filhos homens a fim de evitar, por ocasião das sucessões, o fracionamento dos patrimônios, privavam a maioria dos homens adultos de uma mulher legítima. Ciumentos daqueles que possuíam uma, também sonhavam em receber uma esposa, ou senão tomá-la à força.[14]

Mesmo baseada em lendas celtas antigas, a história do romance entre o jovem Tristão e a mulher de seu tio, a bela Isolda (assim como o de Lancelot pela rainha Guynever, mulher do rei Arthur), presta-se perfeitamente ao modelo de amor romântico preconizado pelos trovadores e, de fato, foi um dos textos de maior sucesso na época, ganhando várias versões em toda a Europa. Para esse casal mítico, o amor acabaria sendo perdido não na separação, mas na posse do ser amado.

É uma idéia que faz sentido até hoje. Mas que, por outro lado, parece ser a própria armadilha dessa literatura, que, não se deve esquecer, é extremamente pedagógica. Ela transmitia uma moral, a moral que pretendiam propagar os príncipes mecenas, que sustentavam os poetas. E não seriam os senhores exatamente os maiores interessados em franquear suas esposas para jovens admiradores, embora provavelmente usassem do magnetismo de belas rainhas e princesas para manter seu círculo de influência sobre os vassalos.

Trata-se de uma relação de duplo vínculo. Não é difícil ver que esconde uma contradição: o casamento era proposto como único lugar autorizado para o desrecalque das pulsões sexuais, e o mesmo casamento era recusado à grande maioria dos homens. Como conter uma sublevação?

O que histórias como Tristão e Isolda fazem, ao valorizar o adultério, é frisar a incompatibilidade entre amor e casamento. "Sem o marido, nada restaria aos dois amantes do que se casar... Imagine: Madame Tristan. É a negação da paixão. O ardor amoroso espontâneo é por essência pouco durável. É uma chama que não sobrevive à consumação. Se seu ardor o transforma em inesquecível, é porque os amantes o prolongam e renovam ao infinito", comenta Denis Rougemont.[15]

Acentuando seu lado mais volátil, menos confiável, a paixão acaba tendo esvaziado seu potencial anárquico, revolucionário, desestabilizador. O obstáculo deixa de ser exterior, o casamento sem amor, para se internalizar. Trata-se de uma contradição em termos: a realização seria inimiga mortal do amor. Um mito em que mesmo nós, embebidos na ideologia romântica que aponta para o casamento como a finalidade de toda paixão, paradoxalmente acreditamos, ou secretamente tememos.

O ardor de Tristão e Isolda duraria exatamente três anos, tempo em que se diluem os efeitos do "filtro", uma bebida mágica que seria responsável por despertar uma paixão capaz de enfrentar os maiores perigos e a morte. O mito do filtro, que hoje seria chamado simplesmente de "tesão", tinha uma função importante na Idade Média, como lembra Duby:

> Mostrar os efeitos nefastos de um desejo nascido dessa maneira, e portanto ingovernável, destinava-se a alimentar, na sociedade cortês,

salutares reflexões sobre a ordem e a desordem, e em especial sobre essa perturbação cuja causa são as turbulências da sexualidade.[16]

O amor não enche barriga, diz o ditado. Durante três anos, por causa de sua relação marginal, Tristão e Isolda vivem de brisa, caçando e colhendo, dormindo ao relento. Muito romântico. Mas, depois disso, o efeito do filtro acaba. Aparentemente, o desejo saciado evapora junto com ele. Mas uma leitura mais atenta mostra que — será mera coincidência? — Tristão e Isolda finalmente conseguem cortar seus laços físicos (os amorosos jamais) depois que o rei Marcos deixa sua espada entre os dois, como sinal de perdão. A mensagem é clara: os dois amantes poderiam retomar suas vidas na sociedade, se aceitassem se separar. "A idéia nunca teria me ocorrido se não fosse a dura miséria que suportas por minha causa há tanto tempo", diz Tristão a Isolda. Ao que ela responde: "Há dois anos que erramos por esta floresta e suportamos sem nos queixarmos as privações, o calor e o frio. Por que pensas agora em separar-te de mim?"[17]

Ele recorda o fim do prazo de validade do filtro, embora deixe claro que seu amor pela rainha continua (e continuará até o final da história). Por meios de mentiras e artifícios, restabelece para Isolda sua antiga condição matrimonial. Seria o fim do desejo, ou apenas a dificuldade de suportar a marginalização, reservada aos que rompem as regras pré-estabelecidas, o que leva os amantes a deixar a vida natural e a reatar os laços com a sociedade?

Para Tristão e Isolda, o amor é um perigo, uma aventura, uma bebida que embriaga. Mas ainda volátil demais para ser institucionalizada.

Romeu e Julieta ou a ruptura da ordem

Embora popularizada por Shakespeare, que escreveu a peça em algum momento entre 1595 e 1597, a história desses dois amantes separados por ódios familiares, até hoje uma das tramas mais repetidas pelas telenovelas, tem uma origem muito mais antiga: no século 3, uma historieta grega já contava a saga de uma mulher que recorre à poção que simula a morte para escapar de um segundo casamento.[18] Mas o tema se torna realmente popular no Renascimento, quando começa a haver uma crescente associação entre amor e morte, nas artes e na literatura.

Pelo menos cinco escritores italianos já tinham se debruçado sobre a história antes de Shakespeare, que, no entanto, se inspirou unicamente no longo poema (3.020 versos) do inglês Arthur Brooke, publicado em 1582.[19] Mas os objetivos dos dois poetas são bem diferentes. A história de Brooke é, em suas próprias palavras:

> ... escrita de maneira trágica, para descrever um casal de amantes infelizes, que se escravizaram ao desejo desonesto, desrespeitando a autoridade e o conselho de pais e amigos, constituindo seus principais conselheiros alcoviteiras bêbadas e frades supersticiosos (os instrumentos próprios da falta de castidade), que experimentam todas as aventuras do perigo para atingir sua desejada luxúria, usando a confissão auricular (chave para toda prostituição e traição) para propiciar seus objetivos, e desrespeitando o honrado nome do casamento legal para acobertar a vergonha dos encontros roubados, finalmente, por todos os meios da vida desonesta, apressando a mais infeliz das mortes.[20]

A obra de Brooke pode ter fornecido a Shakespeare a trama de sua tragédia, além de informações sobre a Itália e outros detalhes úteis para a criação de sua peça, mas não foi essa visão moral que transformou *Romeu e Julieta* na mais famosa história de amor de todos os tempos. Como reconhece Harold Bloom, "a popularidade permanente de *Romeu e Julieta*, que, nos dias de hoje, alcança uma intensidade mítica, é perfeitamente justificável, pois a peça constitui a maior e mais convincente celebração do amor romântico da literatura ocidental".[21]

Se era para ser uma advertência contra a desobediência à autoridade paterna, a morte dos dois amantes de Verona teve um efeito contrário. Com seu arrebatamento, modelo para qualquer amor verdadeiro que merecesse seu nome daí em diante, eles levaram ao paroxismo a ordem social que estimulava a imaginação romântica ao mesmo tempo em que subordinava o casamento à autorização paterna. Em Shakespeare não é a desobediência dos jovens que provoca seu destino trágico, mas a insistência dos pais em não ouvir os filhos (especialmente em não aceitar os desejos da filha) na hora de escolher um esposo. As críticas, na versão definitiva da história, são contra as políticas de alianças que usam o matrimônio como moeda de troca, contra a insanidade da guerra civil e contra valores sociais que se colocam acima da felicidade individual. Com o desenvolvimento de valores individualistas no mundo ocidental, entre eles o amor, a hierarquia deixa progressivamente de ser considerada como algo natural entre as pessoas.

A transformação de uma fábula moralista em libelo revolucionário é tão mais notável quando se percebe que a história contada por Brooke permanece inalterada. O que muda é o olhar, do autor ou do seu tempo. Para Shakespeare estão em jogo as tensões entre o indivíduo e sua identidade social.

O amor leva esse conflito ao extremo, com a morte do indivíduo, é certo, mas também com a transformação de uma determinada concepção de sociedade. Assim, "a morte dos amantes significa não a derrocada da idéia do amor, mas um sacrifício por meio do qual funda-se um mito de origem do amor moderno — experimentado como um conflito irremediável contra a sociedade", nota André Lázaro.[22]

Cinderela ou a ascensão social pelo amor

De todas as histórias de amor, *Cinderela* é de longe a mais repetida pela cultura de massa. Por quê? Ao contrário de *Romeu e Julieta*, em *Cinderela* aparentemente vigora a primazia do amor sobre a ordem social. *A gata borralheira*, tal como a conhecemos hoje, foi um conto-de-fadas publicado pela primeira vez em 1697, na França, por Charles Perrault. "Cendrillon" era baseado numa história transmitida oralmente desde a Idade Média, como outras da coletânea *Histoires et contes du temps passé avec des moralités*, também conhecida como *Contos da Mamãe Ganso*, que incluía ainda "O Barba Azul", "Chapeuzinho Vermelho" e "A Bela Adormecida".

Na ocasião em que foram escritos, nem o próprio Perrault lhes deu maior importância. Antes e depois, o primeiro secretário de Colbert durante o reinado de Luís XIV escreveu muitos poemas, todos sem maior repercussão. Perrault morreu em 1703 sem assistir à glória que seus contos lhe consagrariam, a partir do final do século 19, com a valorização da literatura infantil. Até porque, originalmente, o trabalho de Perrault tinha o objetivo de fixar tradições populares, mais do que entreter crianças. O autor, ou compilador, foi um colecionador de contos com símbolos mitológicos. As *Histórias e contos do passado com moralidades* inseriam-se dentro de um projeto de modernidade do qual Perrault era um dos arautos. Contra a tradição pedante da imitação dos clássicos, comum nos escritos da Academia Francesa, ele propunha uma volta às raízes medievais e autóctones da literatura nacional. Contra o artificialismo da linguagem dos doutores, a superioridade da linguagem popular, como explica Jack Zipes:

> A emergência dos contos de fada no mundo ocidental como uma forma cultural de contos folclóricos direcionada para a massa coincide com o declínio do feudalismo e a formação de uma esfera pública burguesa. Assim, eles viveram um curioso desenvolvimento ao final do século 18 e no início do século 19.[23]

Cinderela, ou *A gata borralheira*, teve pelo menos 345 variantes, além de ter dado origem a dois filmes, um desenho animado e uma ópera. As diferentes versões têm os mais variados finais.[24] A de Perrault, com o tradicional "e viveram felizes para sempre", é certamente a mais adotada. A dos irmãos Grimm — que acrescentaram à história uma sangrenta cena em que as irmãs de Cinderela, para que o sapatinho coubesse nos seus pés, cortavam fora os dedos — não vingou.

Não faltam interpretações para essa pequena história. Desde a psicológica, que encara a relação de Cinderela com sua madrasta como uma tentativa de ultrapassar o poder materno ou vê nos pequenos sapatinhos de cristal um símbolo de feminilidade, à literária, que aponta laços entre a história de Perrault e o Rei Lear, de Shakespeare, passando pela crítica feminista, que vê no mito de Cinderela as raízes da passividade das mulheres, até hoje.[25] Mas o que faz essa história ser contada e recontada? Quais os elementos que a tornam popular tanto tempo depois? Segundo Rougemont:

> Num certo sentido, os mitos traduzem regras de um grupo social. O mito não tem um autor. Sua origem costuma ser obscura. Ele se apresenta como uma expressão anônima de realidades coletivas. O que faz uma história, um evento ou um personagem pertencer ao território dos mitos é precisamente o imperativo que ele exerce sobre nós, apesar de nós.[26]

O primeiro mito de Cinderela é o da pobre menina rica. A gata borralheira não é uma garota qualquer. Cinderela nasceu em berço de ouro e, em seu sonho, espera o restabelecimento de sua situação original, a reintegração à sua classe de origem. Reintegração que, mesmo quando convidada a um baile democrático, junto com "todas as moças do reino", somente é possível quando, num passe de mágica, ela passa a ostentar todos os símbolos de status da nobreza: carruagem, vestido, jóias, sapatos. A paixão do príncipe é imediata. Mas seria, se conhecesse a bela metida em andrajos, com uma vassoura na mão?

O mito é usado até hoje nas telenovelas porque, apesar de sua improbabilidade histórica, junta duas fantasias: ascensão social e amor. A paixão do príncipe retira Cinderela de seu calabouço e faz com que duas pessoas que nunca se viram antes vivam felizes para sempre. Subliminarmente, sugere que bastaria à classe mais baixa ostentar os mesmos meios de distinção simbólica da classe dominante para "conquistá-la". Um ideal feito sob medida para a sociedade de consumo, como enfatiza Jack Zipes:

> Imagens programadas de contos de fada continuam a embotar nossa sensibilidade em anúncios de TV em que mulheres são transformadas em Cinderelas num passe de mágica ao comprar um novo vestido,

ao gastar seu dinheiro em tratamentos de beleza num spa, ou ao usar os cosméticos certos.[27]

Contos como *Cinderela* e *A bela adormecida*, em sua época, podem ter tido outra função: adornar casamentos obviamente arranjados dos nobres com uma aura de amor romântico. Assim, o príncipe se apaixonaria por Cinderela por sua nobreza interior, mais do que exterior. Ou, no caso de *A bela adormecida*, por uma simples camponesa, sem saber que aquela era a princesa que estava prometida desde que nasceu. Será que, onde aparentemente há uma revolta contra as ordens paternas, haveria na verdade uma submissão disfarçada aos imperativos de classe social? Ou, ao contrário, indícios de rebeldia contra a tradição dos casamentos sem amor?

Independente de suas bases históricas, Cinderela personifica o mito de que é possível ultrapassar as fronteiras sociais através do amor. Mito que viria a se tornar fundamental para as telenovelas, séculos depois.

O Amor em Pedaços: A Literatura de Massa

Em outubro de 1856, a *Révue de Paris* publicou em forma de folhetim uma história recheada de todos os ingredientes românticos: obstáculos, triângulos amorosos, ruptura com a ordem social e sonhos de ascensão. Além de polêmica e algum dinheiro, o texto rendeu a um brilhante escritor francês um processo por ofensas à moral pública e à religião. Só no ano seguinte, Gustave Flaubert editaria em livro seu maior clássico: *Madame Bovary*.

Entre outras coisas, o romance de Flaubert pode ser lido como uma crítica aos folhetins curiosamente elaborada — se não propositadamente — dentro de seus próprios modelos industriais (a ficção seriada publicada na grande imprensa), temáticos (a história real tirada de um *fait-divers* de jornal) e melodramáticos (a mulher fatal que leva um bom homem à ruína e, no final, acaba punida com a morte).

A tragédia de Emma Bovary é uma história exemplar, tanto da moral amorosa no século 19, como da forma como as forças vertiginosas do desejo eram paradoxalmente estimuladas e reprimidas através de uma literatura que, exatamente nesse século, passa a merecer o rótulo "de massa". Também é em *Madame Bovary* que as relações entre romance e consumo começam a se tornar explícitas.

Flaubert faz de Emma uma ávida leitora — de folhetins e romances água-com-açúcar, é bem verdade. E o que mais cairia em suas mãos? Numa época em que as mulheres eram desestimuladas a estudar (até 1880, elas eram simplesmente proibidas de assistir a qualquer seminário na Sorbonne),[1] recém-escolarizadas (segundo Philippe Ariès, o estudo no século 17 já não era mais monopólio de classe, mas certamente ainda o era de sexo, o que só começa a ser modificado no século seguinte),[2] mas pouco mais que alfabetizadas,

Madame Bovary apresentava um apetite insaciável pela leitura, misturando revistas, folhetins, literatura séria e romântica. Tudo lhe interessava:

> Assinou a *Corbeille*, jornal de senhoras, e o *Silfo dos Salões*. Devorava, sem perder uma palavra, todas as notícias das primeiras apresentações, das corridas e das sessões de gala, interessando-se pela estréia de uma cantora e pela abertura de uma casa de modas. Estava a par do último figurino, sabia o endereço dos melhores costureiros e quais os dias de passeio ou de ópera. Estudou, em Eugène Sue, descrições de mobiliário: leu Balzac e George Sand, procurando satisfações imaginárias para seus apetites pessoais.[3]

Bovary não estava em má companhia. Se é que se pode chamar a suspeita Capitulina Santiago e as assumidamente adúlteras Luísa Carvalho e Ana Karenina de boa companhia.

Sobre Capitu, a informação de que também era uma ávida leitora pode passar despercebida: "Já então namorava nosso piano, velho traste inútil apenas de estimação. Lia os nossos romances, folheava os nossos livros de gravura", conta Bentinho num capítulo denominado justamente "As curiosidades de Capitu", em que revela *en passant* o interesse da mocinha rude por latim, inglês, francês, pintura, música, história, gamão e, já vítima de um surto de bovarismo, pelo glamour dos bailes na corte. "Tudo era matéria às curiosidades de Capitu", repete Bentinho duas vezes em sua confissão. Ou ainda: "As curiosidades de Capitu dão para um capítulo. Eram de várias espécies, explicáveis e inexplicáveis, assim úteis como inúteis, umas graves, outras frívolas, gostava de saber tudo."[4]

Em Lisboa, Eça de Queirós faz uma descrição muito parecida da adúltera Luísa. "Era a *Dama das Camélias*", ironiza. "Lia muitos romances; tinha uma assinatura, na Baixa, ao mês. Em solteira, aos dezoito anos, entusiasmara-se por Walter Scott e pela Escócia; desejara então viver num daqueles castelos escoceses, que têm sobre as ogivas os brasões dos clãs."[5]

> Mas agora era o moderno que a cativava, Paris, as suas mobílias, as suas sentimentalidades ... Havia uma semana que se interessava por

> Marguerite Gautier: o seu amor infeliz dava-lhe uma melancolia enevoada; via-se alta e magra, com o seu longo xale de caxemira, os olhos negros cheios de avidez da paixão e dos ardores da tísica; nos nomes mesmos do livro — Julie Duprat, Armand, Prudence — achava o sabor poético duma vida intensamente amorosa.[6]

Enquanto isso, na Rússia decadente de Tolstoi, os romances ingleses ajudavam a aristocrática Ana Karenina a passar o tempo. Mas assim como Bovary, Ana "tinha muita necessidade de viver por si mesma para sentir prazer com o reflexo da vida de outrem".[7]

> A heroína do romance curava doentes: ela gostaria também de andar leve pelo quarto daquele doente; um membro do Parlamento discursava, desejaria discursar também; lady Mary galopava atrás de sua matilha, importunava a cunhada, escandalizava as pessoas pela sua audácia: gostaria de fazer o mesmo. Vãos desejos! Restava-lhe mergulhar na leitura.[8]

Quantas dessas emergentes no mundo da cultura não perderiam a cabeça à força de romances açucarados? A busca do amor, da realização pessoal e da felicidade tornou-se uma exigência burguesa comum na segunda metade do século 19, justamente quando os folhetins se popularizaram. Gradativamente, esses desejos vão se estendendo ao sexo feminino. E não é à toa que o movimento feminista vai lançar suas bases nesse século. Mas, se por um lado o modelo de amor romântico vitoriano deve aos romances água-com-açúcar seu sentido e novidade — a paixão como único fundamento válido para o casamento —, por outro, nada garantia que essas expectativas se realizassem.

O pecado de Emma Bovary

Para nós, Madame Bovary pode ser uma personagem exemplar de como os romances melodramáticos eram lidos no século 19. Mas, para a época, tal personagem não era exatamente o que se pode chamar de um bom exemplo. Tanto que paga com a morte todas as suas transgressões de ordem moral, econômica e social.

Flaubert reconhece em sua protagonista uma vítima mais do que uma víbora, mas nem por isso a perdoa. É enorme a lista de algozes que o autor cria para a — às vezes fria, às vezes fogosa — moça: ela é vítima sucessivamente de um marido insosso, de um conquistador inveterado, de um amante aproveitador, de um agiota inescrupuloso, do tédio da vida no interior, da sogra tirana, da mística cristã e, mais do que tudo, das minhocas colocadas em sua cabeça pelos livros.

São esses romances que transformam a singela Emma numa *femme fatale*, com todos os atributos a que tinha direito, da voracidade sexual ao desejo de ser uma mulher independente (que tem até uma procuração do marido para assinar promissórias — o que só poderia levá-lo à ruína, como avisa a sogra intrometida). Madame Bovary é contemporânea de um momento em que a visão idílica da mulher domesticada e incapaz começava a cair por terra, minada pelas reivindicações feministas,[9] ou ultrapassada, como no caso da personagem, por um desejo inflamado disposto a tudo, inclusive a abandonar os modelos de esposa e mãe para abrir espaço à sua realização.

Não é difícil ler, nas entrelinhas de *Madame Bovary*, como a ascensão da mulher moderna provocava ansiedade no homem vitoriano e na sociedade patriarcal em geral. O processo de industrialização do século 19 descobriu que as mulheres educadas para não fazer nada eram um exército disponível e, principalmente, barato, além de um amplo mercado consumidor a ser explorado.[10] Os preconceitos burgueses começavam a ser abandonados em favor dos lucros, já que as mulheres aceitavam (e essa é a norma ainda hoje) ganhar salários bem menores que os dos homens, como explica Peter Gay:

> Não foi o feminismo que guiou as mocinhas como um rebanho aos escalões mais baixos dos serviços de escritório e de vendas, onde tanto o pagamento como o prestígio eram baixos; foram a racionalidade e a complexidade da moderna economia capitalista.[11]

O problema é que o sexismo, que interditava o trabalho fora de casa para as mulheres sob argumento de que eram frágeis e incapazes, já estava bastante enraizado para ser mudado de uma hora para outra. No capítulo "Seduzidas e abandonadas" de *As mil faces de um herói canalha*, Marlyse Meyer mostra que, no folhetim, o trabalho feminino era visto como uma "desgraça" que poderia afetar tanto mulheres de classe alta decaídas financeira ou moralmente quanto as mulheres do povo que não contavam com o apoio de um marido.[12]

No entanto, essa representação entrava diretamente em conflito com a nova realidade social e a expansão do mercado consumidor. O *Petit Journal*, por exemplo, definia-se como o jornal "que a nobre senhora das classes aristocratas manda comprar todas as tardes pela sua camareira", mas também como "o divertimento cotidiano da gentil costureira no fim de sua jornada".[13]

> Se, de um lado, os próprios autores compartilham dessa ideologia que condena em bloco o trabalho feminino (assim como a paixão feminina, aliás), por outro lado não podem os autores e os veículos de imprensa ignorar que o comprador alvo dessa literatura é exatamente a mulher do povo, talvez melhor dizendo, a mulher em geral.[14]

No consumo, mulheres como Emma Bovary e Pauline Langlois se encontram.[15] E é alçadas ao posto de consumidoras (e conseqüentemente de heroínas dos novos romances) que a madame e a costureira vão influenciar os novos modelos representativos, já que o direito à cidadania através do voto ainda lhes seria negado por muito tempo. A literatura de massa rapidamente descobriu que teria que dissimular a misoginia para não ferir suscetibilidades e recusar a segregação sexual para atingir um público mais vasto. "O autor de folhetim", escreve Marlyse Meyer, "realiza uma dupla proeza: preservar a necessária verossimilhança que permite ao leitor popular uma identificação possível, e ao mesmo tempo se adequar à ideologia (patriarcal) dominante".[16] Daí "uma representação oscilante da mulher do povo, cuja real e miserável condição surge numa mistura de qualidades negativas e positivas, que tornam possíveis as identificações das leitoras".[17]

Nos folhetins, outra questão difícil de ser trabalhada era a sexualidade feminina. Escamoteada pelo amor romântico ou substituída pela vergonha, ela só poderia ser plenamente vivida pelas *femmes fatales*. Esse erotismo feminino muitas vezes será descrito com tintas realistas, fortes mesmo, mas invariavelmente julgado como vício imoral.[18] No entanto, os folhetinistas intuem que é justamente a curiosidade por esse "vício imoral", por essa "outra", que vai promover o interesse da mulher do povo, da moça de família e da burguesa rica em torno das histórias água-com-açúcar.

> No que tange às mulheres levianas, a esperteza do folhetinista, aproveitando o tempo longo em que vai oferecendo seu produto, permite, antes da catástrofe final — a vitória da virtude ... —, que se exerça à vontade, e com prazer, a libidinosa, perversa e condenada carreira.[19]

Como as libertinas são as únicas que sabem viver grandes paixões, não é difícil imaginar que, secretamente, as mulheres vitorianas tenham se identificado com as vilãs, tanto ou mais do que com as puras heroínas. Novamente, Madame Bovary refletirá esse processo. Excitada com seu primeiro amante, Emma "lembrou-se das heroínas dos livros que havia lido, e a legião lírica dessas mulheres adúlteras punha-se a cantar em sua lembrança".[20]

Se o objetivo era promover a internalização da idéia de que a paixão era um pecado e dar ouvidos ao desejo era algo extremamente perigoso — processo que muitas vezes iria dar em casos de histeria, como os descritos por Charcot e Freud —, isso nem sempre funcionava, já que as delícias das mulheres depravadas, livres, ambiciosas, eram descritas em detalhes, incendiando a imaginação de mocinhas e senhoras entediadas. Para desestimular qualquer identificação perigosa, os autores de folhetim (tanto quanto Flaubert) apelavam para o sentimentalismo, freqüentemente descrevendo as mulheres fatais como mães desnaturadas, ao contrário das mulheres virtuosas, dispostas a qualquer sacrifício pessoal em nome dos filhos, como a extraordinária Pauline Langlois.[21]

A mulher fatal vai em frente, segue seus impulsos, ignora as leis sociais. Mas a moral fica a salvo, porque o desafio será impiedosamente punido. A transgressão de mulheres como Emma Bovary não poderia ficar impune, mesmo que os tribunais já não dessem aos maridos o direito à legítima defesa da honra. Interiorizando a culpa por seus pecados, que vão da emancipação ao adultério, Bovary se mata, assim como Karenina (o primeiro romance é publicado em 1857 e o segundo, 20 anos depois).

A moral da história é clara: as mesmas fórmulas que excitavam o desejo de jovens românticas advertiam para os perigos de se perder o controle sobre esse mesmo desejo, colocando-o à frente das regras sociais. Romances açucarados tinham a função de um calmante: dar uma satisfação ilusória que sustentasse o tédio cotidiano. No entanto, não deviam ser levados muito a sério.

Mas de quem seria o moralismo: do autor de romances (Flaubert foi processado, e absolvido, por ofensas à moral pública, à família e à religião) ou da sociedade? Tanto *Madame Bovary* quanto *Ana Karenina* foram baseados em suicídios reais: o da francesa Delphine Delaunay, esposa adúltera de um oficial de saúde numa cidade do interior, em 1849, e o da princesa Ana Stepanovna Bibikov, que, torturada de remorsos por sua infidelidade, jogou-se nos trilhos diante de um trem em 1870. Como adverte Gay: "Os homens, nem mesmo os loucos, não inventam simplesmente o seu mundo. Os materiais que empregam para construí-lo são todos de domínio público."[22]

Hoje, em tempos de divórcio e amor livre, filmes e telenovelas para distrair, cheques especiais, cartões de crédito e — caso as coisas fiquem complicadas — pílulas milagrosas contra a depressão, certamente a história de Emma Bovary teria outro final. Menos trágico. Talvez não menos triste.

Compro logo existo

Hoje, quem censuraria Emma Bovary por seus devaneios, paixões, ataques consumistas? Heroína *avant la lettre* por natureza, ela talvez tenha nascido antes do seu tempo. Emma é muito mais nossa "contemporânea" do que daquela sociedade ainda presa ao escambo (seu pai, por exemplo, pagava o tratamento médico com perus) e ao imobilismo social. Sua doença, o bovarismo, é a própria doença da sociedade de consumo: a imaginação bombardeada por um sem número de estímulos, a alienação voluntária, o escapismo, tanto faz se diante da tela de tevê ou de um romance açucarado, a ambição social, a eterna insatisfação pessoal. Afinal, "de onde vinha aquela insuficiência da vida, aquele apodrecimento instantâneo das coisas em que se apoiava?"[23]

Bovarismo, termo cunhado em 1902 pelo psiquiatra Jules de Gaultier, serve para descrever "todas as formas de ilusão do eu e de insatisfação, desde a fantasia de ser um outro até a crença no livre arbítrio".[24] É uma síndrome tão ampla que pode incluir tanto o auto-erotismo como o consumismo, por exemplo. A descrição de um importante médico francês em 1876 sobre o mal da masturbação, por exemplo, apresentava uma lista pormenorizada de estímulos que induzem ao vício, entre outros "romances e dramas malsãos, a impotência do marido, danças, bicicletas e máquinas de costura".[25] Entre as conseqüências desse "flagelo" da era vitoriana, estavam a ninfomania e o suicídio, diz o médico.

Sem dúvida o bovarismo é uma estimulação, mas, diferente do onanismo, o prazer que proporciona não vem diretamente da manipulação sensorial, mas do desenvolvimento de um complexo mecanismo psíquico para controlar o volume das reações emocionais e produzi-las simplesmente com a imaginação.

O consumismo — que no final das contas também pode ser definido como uma fonte de ilusão e auto-estimulação — foi uma febre que começou a fazer suas vítimas na época de Emma. Até então, só a aristocracia tinha direito de ostentar sua riqueza. Mas com a democratização promovida pela industrialização, os símbolos de status passam a ser acessíveis às camadas médias em geral, que imediatamente se agarram a eles. O desespero de Madame Bovary na hora de pagar as contas é bem conhecido de quem vive às voltas com prestações, cartões de créditos, cheques especiais, juros extorsivos e um padrão de vida acima do que deveria ser o seu.

> À força de comprar, de não pagar, de pedir emprestado, de aceitar letras, depois, de reformar as mesmas letras, que aumentavam a cada novo prazo, acabara por preparar a L'Hereux um capital que ele esperava impacientemente para as suas especulações.[26]

A curiosidade pelas últimas modas, os últimos programas, as festas de gala numa Paris cuja mística permanece até hoje podiam ser censuráveis para alguém como a ranzinza mãe de Charles, que mantinha a fronteira de seus sonhos bem delimitada na linha do horizonte.[27] Mas não para nós. Emma jamais mereceria críticas por ser uma mulher bem informada, vaidosa, na moda. Talvez até se tornasse uma típica leitora de *Nova, Elle* e, muito provavelmente, *Caras*.

Avassaladoras e passageiras, as paixões de Emma foram tão alimentadas quanto as nossas por sonhos românticos. Para ela, o amor já se apresentava como o vemos hoje, burgueses sem religião nem revolução: a única aventura e a única mística ainda possíveis. Colecionando paixões intensas, como qualquer mulher que mereça o título de moderna, Emma colecionava objetos de desejo. Para ela, o outro não era verdadeiramente o outro, mas o *déjà vu*, o idealizado. Quanto mais desesperado o amor de Emma, mais artificial. E o artifício que usava para mantê-lo, quando perdia sua aura, era a auto-estimulação romântica. Sucessivamente, "Emma reencontra no adultério toda a insipidez do lar conjugal".[28] Mesmo pressentindo que o amor *consumia-se,* continuava a escrever a Rodolfo e León cartas apaixonadas.

> Mas, ao escrever, tinha no espírito outro homem, um fantasma composto das suas mais ardentes lembranças, das suas leituras mais belas, das suas mais fortes ansiedades; e afinal este se tornava tão verdadeiro e acessível que Emma palpitava por ele, maravilhada.[29]

No entanto, apesar da fugacidade de suas paixões, quando Emma mais se parece conosco é no momento em que faz suas compras. "Viu que as senhoras usavam grande quantidade de berloques no relógio, por conseguinte, comprou berloques. Quis ter sobre o fogão duas grandes jarras de vidro azul e depois de pouco tempo quis também uma bolsinha de marfim e um dado de prata dourada",[30] descreve Flaubert a atitude de sua personagem diante do universo do consumo.

Emma é uma consumidora implacável de bens imaginários. Para ela, "comprar e ler constituem manifestações da mesma síndrome, porque a leitura romântica estimula o consumo e o comprar se transforma num prolongamento do deleite de ler".[31] Na cultura comercial que se desenvolve rapidamente na França na primeira metade do século 19, a literatura que Emma devora funciona como publicidade, que catalisa o investimento emocional do leitor para os objetos pulsantes de simbolismo.

O próprio dr. Bovary, tão pouco ambicioso, é vítima das armadilhas daquilo que Peter Gay chama de "democratização do conforto" e, dessa "descoberta maravilhosa, a privacidade" familiar, estimulada pela produção, em escala cada vez maior, de bens antes restritos à aristocracia.[32]

> Charles, exposto à chuva e à neve, cavalgava por caminhos e atalhos. Comia omeletes à mesa das herdades, metia os braços em camas úmidas, recebia no rosto o tépido jato das sangrias, ouvia os estertores, examinava bacias e erguia muita roupa suja; mas achava, todas as noites, um excelente lume, a mesa servida, assentos macios e uma mulher com toalete fina, encantadora, exalando frescura, a ponto de não saber de onde provinha aquele aroma, ou se não seria a pele que lhe perfumava a camisa ... Quanto menos Charles compreendia aquelas elegâncias, mais o dominava a sedução delas. Acrescentavam-lhe qualquer coisa ao prazer dos sentidos e à doçura do lar. Eram como que um pó dourado que lhe cobria o caminho da vida, em toda a extensão.[33]

O que até então era supérfluo ganha status de necessidade. Utilidades domésticas, objetos de decoração, tecidos luxuosos, roupas elegantes, perfumes caros, jantares exóticos, tapetes, quadros, estatuetas: objetos burgueses tornam-se veículos para sentimentos burgueses, e não faltam descrições cheias de sensualidade nos diários da época sobre poltronas macias, novidade que logo Emma Bovary incorporou.

"Devemos atrelar nossos corações a essas coisinhas?", pergunta Sigmund Freud à noiva Martha Bernays, em agosto de 1882. "Sim", ele mesmo responde, redigindo uma lista de "coisinhas" essenciais: "toalhas de linho com delicadas fitas numa cômoda, e vestidos de acordo com a última moda, e chapeuzinhos cobertos de flores, quadros nas paredes, copos para água e cálices para vinhos" e, num ataque de bovarismo, "uma gostosa poltrona onde passar uma hora em tranqüilos devaneios".[34]

Na literatura, Flaubert faz um catálogo dos sonhos despertados por objetos em Emma, que, segundo ele:

> Confundia, no desejo, a sensualidade do luxo com as alegrias do coração, a elegância dos hábitos com a delicadeza dos sentimentos. Acaso não necessita o amor, como certas plantas, terreno preparado, temperatura especial? Os suspiros ao luar, os abraços prolongados, as lágrimas que correm pelas mãos que se abandonam, todas as fibras da carne e as lágrimas da ternura não podiam ser separadas do balcão dos grandes castelos cheios de ociosidade, dos toucadores de cortinas de seda e tapetes espessos, de jardineiras carregadas de flores, de um leito sobre um estrado, nem da cintilação das pedras preciosas e das agulhetas das librés.[35]

Na filosofia, Walter Benjamin faz a mesma coisa para descrever o fetichismo da mercadoria. Sua referência às exposições universais bem poderia ser transplantada para os romances água-com-açúcar, ou suas sucessoras, as telenovelas:

> Transfiguram o valor de troca das mercadorias. Criam uma moldura em que o valor de uso da mercadoria passa para segundo plano. Inauguram uma fantasmagoria a que o homem se entrega para se distrair. A indústria de diversões facilita isso, elevando-se ao nível de mercadoria. O sujeito se entrega às suas manipulações, desfrutando a sua própria alienação e a dos outros.[36]

Se Emma Bovary nunca conheceu as famosas passagens ou visitou as não menos conhecidas exposições universais, sabia de cor os caminhos de uma Paris imaginária, guiada pelo realismo dos folhetins de Eugène Sue, por exemplo. Numa espécie de educação (ou contaminação) à distância, o "sex-appeal do inorgânico" foi, pouco a pouco, sendo inoculado em seu imaginário. "A moda prescreve o ritual segundo o qual o fetiche da mercadoria pretende ser venerado", afirma Benjamin, numa explicação que parece feita sob medida para a entediada madame.[37]

> Emma usava um robe de chambre aberto de alto a baixo, que deixava ver, por entre as aberturas do corpete, uma camisola plissada, com três botões dourados. O cinto era um cordão de grandes borlas, e as chinelinhas grená tinham laços de fita larga no peito do pé. Comprara um bloco de papel, uma caneta e envelopes, apesar de não ter ninguém a quem escrever.[38]

Ao consumir, Emma "refunda" radicalmente sua personalidade, reinventa a realidade, cria novos personagens, cenários e figurinos para si mesma. Sua existência se transforma numa série de apropriações imaginárias, de forma melodramática, de cenários e *décors* da literatura cortês e exótica, já reduzida, na metade do século 19, a um bando de clichês. Emma inverte o *cogito* cartesiano: para ela, "compro logo existo". Sobre a coleção de objetos supérfluos de uma perua como Madame Bovary, o filósofo alemão diria:

> O colecionador sonha não só estar num mundo longínquo ou pretérito, mas também num mundo melhor, em que os homens estejam tão despojados daquilo que necessitam quanto no cotidiano, estando as coisas, contudo, liberadas da obrigação de serem úteis.[39]

O levantamento de Flaubert, ao descrever o circuito moderno do consumo — veiculado por uma literatura que por si só já é um exemplo de como a tecnologia abrirá as portas para a massificação —, é comparável com o de Benjamin. Os arcabouços do consumismo, da publicidade, do marketing, narrados pelo escritor equivalem às passagens do filósofo. Ambos falam da fundação da sociedade de consumo.

> As criações da fantasia se preparam para se tornarem práticas enquanto criação publicitária. Com o folhetim, a poesia se submete à montagem. Todos esses produtos estão a ponto de serem encaminhados ao mercado enquanto mercadorias.[40]

O divórcio entre romance e folhetim

Se um capítulo dedicado aos usos e abusos da questão amorosa pela cultura de massa começa com um "romance sério" e não um típico folhetim, é porque ele, *Madame Bovary*, permite uma leitura bastante instrutiva sobre as transformações econômicas, sociais e culturais no século 19 e de como esse processo se manifestava a nível individual. Não há dúvida de que a alienação provocada pelos romances água-com-açúcar é justamente o tema de Flaubert. Não é apenas o folhetim que ele critica, mas os efeitos de tal literatura sobre o imaginário de uma época e da apropriação, pelo ainda incipiente mundo do consumo, das frustrações e ansiedades provocadas pela exaltação amorosa. Como diz Flaubert, sua personagem, antes mesmo de experimentá-las, já "conhecia já a pequenez das paixões, exageradas pela arte".[41]

É preciso fazer uma distinção entre romance em folhetim e romance-folhetim. Assim como *Madame Bovary*, quase toda a prosa de ficção de Machado de Assis foi publicada em folhetim. No entanto, mantém uma bem estabelecida organização interna, uma estrutura narrativa que assegura seu valor estético no meio da cultura erudita, seu valor de romance, "enquanto o romance-folhetim pode ir sendo construído dia a dia até o total esgotamento da curiosidade do público, o que causa, freqüentemente, falhas nessa unidade".[42]

O que fez esses folhetins tão populares? Esta não é uma questão que possa ser respondida simplesmente em termos do prazer que as histórias água-com-açúcar oferecem ao leitor e dos desejos que elas satisfazem. Entre o autor e o leitor, há uma poderosa indústria que, no século 19, já se firma com bastante força. Uma série de inovações tecnológicas, como a rotativa, foram necessárias para que se criasse um mercado para a comunicação de massa. O próprio conceito de popular foi alterado profundamente, como assinala Muniz Sodré:

> Por volta de 1865, aparece a expressão *romance popular* (do francês *roman populaire*) como título de uma coleção. Este título não mais designa, como o cordel, um lugar de aproveitamento industrial do espaço literário das classes pobres: a palavra "popular" indicava agora apenas um tipo de consumidor, era um recurso publicitário. Folhetim, romance popular, literatura de consumo, literatura de massa são expressões que hoje indicam o mesmo fenômeno: uma narrativa, produzida a partir de uma demanda de mercado, para entreter literariamente um público consumidor. O folhetim nasce, portanto, atrelado à imprensa de grande tiragem, o germe da indústria cultural.[43]

A partir do folhetim, surge uma ruptura entre os conceitos de alta literatura e literatura de massa. Que Alexandre Dumas e Balzac tenham sido seus mestres, pouco importa. O folhetim é literatura democratizada, melodrama popular que faz sucesso principalmente entre a nova classe operária e a jovem burguesia, emergentes da Revolução Industrial: enfim, as classes médias. Em *Folhetim: uma história*, Marlyse Meyer comenta que a literatura popular, ou de massa, como seria mais apropriado falar, tem uma carga altamente pejorativa. Assim, melodrama, melodramático, folhetim e folhetinesco viram sinônimos de "previsíveis e redundantes narrativas, sentimentalismo, pieguice, lágrimas, emoções baratas, suspense e reviravoltas, linguagem retórica e chapada, personagens e situações estereotipadas."[44]

Em 1836, quando o editor Émile de Girardin resolveu publicar ficção em pedaços, o *feuilleton-roman*, ou ainda romance de rodapé, lançou fórmulas que iriam definir o gênero folhetinesco até hoje, já em termos televisivos. De acordo com Marlyse Meyer, são elas:

A almejada adequação ao grande público, a necessidade do corte sistemático num momento que deixe a atenção em suspense levam não só a novas concepções de estrutura como a uma simplificação na caracterização dos personagens, muito romântica na sua distribuição maniqueísta, assim como uma série de outros cacoetes estilísticos.[45]

É kitsch. É comercial. Mas o folhetim corre o mundo. Em 1838, apenas dois anos depois de a moda ter sido lançada na França, chega ao Brasil a primeira novela de jornal. *O capitão Paulo*, de Alexandre Dumas, traduzida e reproduzida no *Jornal do Commercio*, inaugurou uma onda que terá em Joaquim Manuel de Macedo e João Manuel Pereira da Silva seus maiores nomes.[46]

Resumidamente, o romance-folhetim passa por três fases. A primeira, de 1836 a 1850, pode ser chamada de folhetim romântico ou democrático, e teve em Eugène Sue e Alexandre Dumas seus maiores nomes. Sue, deputado socialista, representou uma vertente "realista" do folhetim. Seu *Mathilde, mémoires d'une jeune femme*, narrava, por exemplo, a Revolução de Julho de dentro de um castelo. Já Dumas inaugurou a vertente histórica e aventureira.

A fase seguinte, de 1851 a 1971, ganhou o nome de rocambolesca, em homenagem a Rocambole, um herói que nasceu em 1857 e só morreria 14 anos depois, junto com seu criador, Ponson du Terrail. "O mais popular herói ... delirante aventureiro a serviço das mais reles causas, tão safado quanto proteiforme, cujo mau-caratismo se conjuga a uma imperturbável audácia" acabou sendo um retumbante sucesso.[47] E, enquanto o malandro Rocambole vivia suas aventuras ditas rocambolescas, *Madame Bovary* foi adaptada, cortada e retalhada pelo editor para ser publicada na *Revue de Paris*.[48]

Por fim, entre 1871 e 1814, apareceriam os folhetins chamados "dramas da vida", ou "desgraça pouca é bobagem", que tanto influenciariam as telenovelas latino-americanas. Emoção a qualquer preço, imagens violentas que saltam do noticiário para a ficção, temas como amor, ódio, paixão, ciúme, desejo, ganância, ambição, morte, crime, luxúria, loucura se firmaram a partir de então. E a necessidade de um *happy end* também.

Estavam lançadas as bases da telenovela. Segundo Marlyse Meyer, o germe do processo folhetinesco e novelo-televisivo é o mesmo: "A adição de enredos paralelos, mas imbricados por um elemento que pertence ao enredo principal, que só se desvendem para serem costurados a ele no epílogo."[49] Ambos acabariam por incorporar os pontos básicos da literatura romântica forjada por histórias como as de *Abelardo e Heloísa* (o obstáculo que extrema o amor), *Tristão e Isolda* (o triângulo amoroso), *Romeu e Julieta* (o amor como ruptura da ordem social) e *Cinderela* (o amor como ascensão social), retrabalhando-os e recombinando suas infinitas possibilidades.

No entanto, não cabe a este livro fazer uma história do folhetim, mas analisar como elementos da literatura melodramática seriam apropriados mais tarde pelas telenovelas. Este é o gancho para os próximos capítulos.

Desgraça Pouca É Bobagem

Gênero romanesco que corresponde à terceira e derradeira fase do folhetim, os "dramas da vida", ou "desgraça pouca é bobagem", como originalmente definiu Marlyse Meyer em *Folhetim: uma história,* tiveram uma rápida aclimatação na América Latina.[1] Seja em forma de capítulos publicados em jornal, declamados no rádio, ou diariamente exibidos pela TV, os frutos da imaginação melodramática inegavelmente conseguiram um grande apelo popular no continente.

Esse vale de lágrimas, que começou com o folhetim e passou pelas novelas de rádio e pelo cinema, acabou criando um fenômeno de comunicação de massa genuinamente latino-americano: as telenovelas. No Brasil, elas ocupam boa parte da programação das emissoras. Ao longo do dia, são exibidas de seis a nove novelas diferentes. Milhões de pessoas assistem a horas e mais horas de variações sobre o mesmo tema: o amor romântico, suas aventuras e desventuras.

No México, maior exportador mundial, a situação é parecida, se não mais impressionante. Segundo o site *telenovelas en el mundo*, em junho de 2000, 18 telenovelas diferentes estavam sendo exibidas no país. Na Colômbia, recordista disparada, 29. Na Venezuela, outra grande produtora, 18. No Chile, 16; na Argentina, 13; no Uruguai, 12, e no Peru, 11. Nos Estados Unidos, onde a colônia hispânica é cada vez maior, cinco.[2]

Além de grande consumidora, a América Latina tem nas telenovelas seu produto cultural mais exportável. Grandes sucessos, como a brasileira *Escrava Isaura* ou a mexicana *María la del barrio*, foram vistos em nada menos do que 100 países. Lugares tão distantes quanto a Rússia assistem em média a nove telenovelas latino-americanas por dia. Mapear esse fluxo transnacional é como realizar uma cartografia do desejo, em especial do desejo melodramático exacerbado pelos meios de comunicação de massa e suas mediações com as comunidades locais, tanto produtoras quanto consumidoras.

É interessante observar nesse processo de transnacionalização das telenovelas uma espécie de antropofagia de moldes continentais, talvez a maior de todas as realizadas pelos povos colonizados, a ponto de inverter fluxo de importação/exportação de bens culturais. A mesma América Latina que absorveu indistintamente os romances água-com-açúcar ingleses e os folhetins franceses como modelos da modernidade européia — e não foram poucos os autores que rastrearam sua influência tanto na imaginação popular quanto na cultura erudita do continente — tornou-se a grande herdeira da tradição melodramática.

Com o tempo, o folhetim se metamorfoseou em outros gêneros, em função do aparecimento de novas e mais possantes tecnologias de comunicação de massa, abrindo as portas para o aparecimento da "grande narrativa de nossos dias", como Marlyse Meyer define a telenovela.[3]

> O brasileiro tem estômago de avestruz. Tudo é indistintamente consumido sob a etiqueta "melhores autores franceses". É tudo novidade de Paris e, como tal, uniforme padrão de qualidade. Altos e baixos de lá ficam erodidos ao atravessar os mares, dão aqui um igual que, devidamente absorvido, também leva à construção de um outro, que é o nosso. Mas nessa deglutição compulsiva de romances pode-se ver também, talvez mais do que o sentimento da promoção — mercadoria estrangeira —, a marca de uma inextinguível sede de histórias, um imaginário sempre ávido de contação ... Que já está anunciando a fome-mor que anos mais tarde vai devorar a verdadeira criação ficcional latino-americana ... Aí, talvez, reside a verdadeira filiação entre romance-folhetim de jornal e o folhetim da telenovela: o alimento do imaginário, um imaginário que não hesita em fazer novas misturas, romper fronteiras, contaminando a realidade.[4]

Mas antes de admitir que o gosto melodramático no continente seria fruto das raízes ibéricas da alma latino-americana, ou da nossa tão decantada modernidade periférica, é bom ressalvar que a "desgraça pouca é bobagem" não é só nossa — se não, por que chineses, croatas e dinamarqueses acompanhariam nossas novelas?

É bom entrar neste terreno movediço com cuidado. Em que se constituiria essa *latinidad*? É preciso ver até que ponto as telenovelas não tiveram um papel importante na simbolização de uma identidade latino-americana, em vez de meramente refleti-la. Até porque pode ser uma solução fácil, mas não passar de um exagero, falar numa tradição ibérica, englobando as ex-colônias espanholas e portuguesas, quando, mesmo na Espanha, galegos e bascos se consideram povos completamente diferentes.

Para definir a latinidade, devemos antes entender melhor o conceito de melodrama e o que queremos dizer quando falamos em América Latina.

El placer de sufrir

Maniqueísmo, sentimentalismo, situações inverossímeis, vilanias, perseguições aos bons e vitória final da virtude. Para o diretor de teatro Peter Brooks, o melodrama é menos um gênero do que uma forma imaginativa inseparável da consciência moderna, a expressão inflada e extravagante de um conflito ético individual (representado pela busca do amor) ou coletivo (como resposta a um mundo em que os tradicionais imperativos de verdade e ética são constantemente colocados em questão). "Não é possível estudar o movimento romântico se não percebermos, no coração dele, um impulso para o drama"[5], diz Brooks. Impulso que, também é possível afirmar, não falta aos movimentos revolucionários.

Apelando para a polarização ou hiperdramatização das forças em conflito, o melodrama faz parte de um sistema estético coerente, com um repertório mais ou menos fixo de histórias exemplares. Mas o que exatamente estaria embutido em sua retórica do excesso?

"A alienação social não está escamoteada no melodrama: é seu tema, ainda que submetida a uma transposição fantasmática", diz Jésus Martin-Barbero, para quem a "obstinada pertinência" do gênero e sua adaptação aos novos meios tecnológicos de comunicação, especialmente a televisão na América Latina, não podem ser explicadas em termos puramente ideológicos ou comerciais:[6]

> Tudo no melodrama tende ao esbanjamento. Desde uma encenação que exagera os contrastes visuais e sonoros até uma estrutura dramática e uma atuação que exibem descarada e efetivamente os sentimentos, exigindo o tempo todo do público uma resposta em risadas, em lágrimas, suores e tremores. Julgado como degradante por qualquer espírito cultivado, esse excesso contém contudo uma vitória contra a repressão, contra uma determinada economia da ordem, da poupança, da retenção.[7]

A estrutura dramática do melodrama, com sua simplicidade formal, seu esquematismo e polarização maniqueísta entre personagens bons e maus, seu apelo direto aos sentimentos, permite ao receptor uma identificação imediata e, conseqüentemente, sua popularização entre as camadas menos cultas (as mulheres, as crianças e os pobres) que compõem a maioria da população do continente. Apropriado pela cultura de massa, que vai defini-lo como gênero popular por excelência, o melodrama carregaria para sempre um estigma negativo. Como a exacerbação sentimental popular é o oposto da contenção pregada pela literatura culta e pelas vanguardas, o adjetivo melodramático viraria sinônimo de vulgaridade estética. No entanto, logo descobriu a indústria cultural, a "desgraça pouca é bobagem" nem por isso seria menos popular, inclusive entre a elite, por ser o espaço para a fruição, de forma secreta ou não, desses prazeres negados pelo autocontrole burguês ou até pela estética realista do comunismo. "O melodrama foi o gênero cinematográfico mais amado pelo público e o mais repudiado pela crítica e pelos chamados públicos eruditos", assinala Silvia Oroz, a respeito da produção cinematográfica latino-americana das décadas de 30, 40 e 50.[8]

Mesmo tendo o melodrama como sua principal matriz, nem todas as telenovelas latino-americanas serão iguais entre si. O controle desse tom melodramático será fundamental para definir opções estéticas e mercadológicas locais, radicalmente diferentes no caso dos dois maiores produtores — México e Brasil —, além de orientar alianças com diferentes públicos consumidores internos e externos.

Essa tal latinidade

É complicado falar numa vocação continental para o melodrama — embora ele esteja presente em graus diferentes na produção cultural local — quando se sabe que o próprio conceito de América Latina não passa de um aparato discursivo, uma construção geopolítica. "Há 500 anos se fez a primeira tentativa de incluir este continente em uma economia mundial", lembra Néstor García Canclini. O resultado foi um dos processos mais homogeneizadores do planeta: "Talvez não exista outra zona do mundo em que um número tão grande de Estados independentes compartilhe um mesmo idioma (ou dois idiomas tão próximos um do outro), uma história, uma religião predominante."[9] No entanto, o que pode parecer um bloco unitário fragmenta-se quando visto mais de perto. A integração cultural e econômica latino-americana, para os latinos, é ainda hoje uma miragem.

Não é de se estranhar, já que América Latina é um conceito historicamente elaborado de fora para dentro. Criado na França, sob o governo de Napoleão III (1808-73), seu objetivo era justificar o envio de expedições científicas e posteriormente militares ao México. O termo "América Latina" foi uma forma de sublinhar o parentesco das raças latinas — franceses, italianos, espanhóis e portugueses —, em oposição aos anglo-saxãos protestantes.[10] Uma proposta bem diferente da de Simón Bolívar, que, em 1826, tentou sem sucesso promover a união das repúblicas hispano-americanas — sem incluir o Brasil.

Mas historicizar um conceito não é negá-lo. Indubitavelmente, há pontos em comum entre os países que formam hoje a América Latina: desde o forte predomínio da religião católica até o subdesenvolvimento endêmico, passando pela enorme proliferação de caudilhos, ditadores, salvadores da pátria e líderes populistas. Para Jésus Martin-Barbero, a "heterogeneidade de que se forma a maioria dos países da América Latina" sofre "um forte processo de funcionalização". Quando a diferença cultural é grande e incontornável, a tática será a absorção dessa diferença como patrimônio histórico nacional. Quando não for tão grande, ela será folclorizada.[11]

Assim, o latino-americano surge como uma identidade híbrida, uma Carmem Miranda que fala em samba mas canta rumba, fantasia carnavalesca e estilizada de uma estratégia unificadora. O papel dos meios de comunicação na produção cultural e posterior reelaboração dessa identidade latino-americana não deve ser menosprezado. Assim como os investimentos, a partir dos anos 30, na unificação de Estados nacionais, que serão fundamentais para criar a infra-estrutura necessária para a unificação de padrões de consumo. A concentração de renda, o aumento populacional, a transformação de uma economia agrária em industrial e a migração para os grandes centros urbanos permitiriam a formação de mercados nacionais extremamente poderosos, mesmo que às custas da exclusão social e homogeneização cultural.

Com o avanço da globalização, nos anos 80, e o poder cada vez maior das novas tecnologias de comunicação, a situação se modificaria radicalmente. Segundo Canclini, os repertórios folclóricos nacionais não desaparecem, mas seu peso diminui em um mercado em que as culturas eletrônicas transnacionais são hegemônicas. "A cultura nacional não se extingue, mas se converte em fórmula para designar a continuidade de uma memória histórica instável, que se reconstrói em interação com referentes culturais transnacionais."[12] A narrativa nacionalista — tão visível nas telenovelas de época quanto nas que saudavam o *boom* econômico da modernidade — vai gradativamente cedendo lugar à identidade como co-produção, um conceito corriqueiro nas telenovelas contemporâneas.

Uma paixão transnacional

Havana, três horas da tarde de 28 de julho de 1998. "Os cubanos paralisam seu *quehacer*, atraídos pela telenovela colombiana *Las aguas mansas*, que é a antítese de seu nome."[13] As ruas ficam desertas. "*La gente,* incluindo o sexo masculino, foge do sufocante calor para a sombra de um televisor", conta a reportagem, criticando o fato de que "se em Cuba já vigorava um legal e estrito horário de almoço, no qual era impossível comprar qualquer coisa, agora à *siesta* soma-se o horário da novela, em que, se você for atendido, será chamado de inoportuno por alguém olhando para o televisor".

Por causa da febre *Las aguas mansas*, os inventivos cubanos criaram um método para driblar os constantes apagões, retransmitindo a telenovela por via telefônica. "Quando em um bairro acaba a luz, os vizinhos que contam com um telefone particular chamam a seus amigos e familiares de outros bairros para que deixem aberta a linha e possam seguir a história."[14] A questão ficou tão séria que chegou a ser debatida no parlamento, que anunciou o aumento das tarifas telefônicas domésticas em busca de um uso mais racional da rede de telefonia.

"Nem pense em comprar charutos em Havana depois das três da tarde. É a hora em que os cubanos largam tudo o que estiverem fazendo para assistir à escapista novela colombiana que cativou a ilha."[15] São 100 minutos contínuos de telenovela, sem comerciais, apresentados das 15h às 16h40, na terra onde, pode-se dizer, nasceu a telenovela latino-americana, com a adaptação da radionovela *El derecho de nacer*, do cubano Félix B. Caignet, de 1948.

Resumindo, *Las aguas mansas* parece pouco distante do modelo original de "desgraça pouca é bobagem" lançado por *O direito de nascer*. A novela conta uma história passada em Bogotá, em meados do século, quando três ricas herdeiras são cortejadas pelos vingativos descendentes varões da família contrária. É a velha fórmula de duas famílias, uma rica e outra pobre, que se debatem nos conhecidos terrenos do amor, honra, ódio e vingança.

Mas, aparentemente, as novelas colombianas combinaram perfeitamente com o gosto cubano, desde que, no verão de 1996, foi apresentada *Caballo viejo*. E os cubanos enjoaram de suas próprias histórias. Em linhas gerais, a telenovela cubana se caracteriza por ser uma espécie de épico pré-revolucionário, passando ao largo de temas contemporâneos, pós-revolução. Em exibição na época, *El eco de las piedras* não fugia à regra. É "uma história de paixões, amores e ambições passada no seio de uma rica família cubana na época da colônia, com a escravatura como pano-de-fundo".[16]

Por força de tanto assistir a telenovelas, os cubanos se converteram num público exigente. "*El eco de las piedras*, por exemplo, tinha um bom elenco e contexto histórico", segundo os cubanos, mas estava bem abaixo em níveis de audiência. Mas as piores críticas iam é para a brasileira *Amigas para siempre* (aqui exibida com o título de *Quatro por quatro*), "em que os pobres se enriquecem da noite para o dia e as pessoas se enamoram e desenamoram em igual lapso de tempo".[17] De repente, as novelas brasileiras, que na época de *La escrava* (*Escrava Isaura)* e *Vale todo* chegaram a provocar paixões, parecem ter perdido o encanto para os cubanos.

A crise econômica de que padece a ilha desde o colapso da União Soviética, em 1990, tornando a rotina dos cubanos extremamente difícil, parece ter contribuído para esse surto de evasão em plena luz do dia. "As novelas cubanas só lidam com temas como a escravidão, a luta revolucionária e problemas sociais. As pessoas desejam outras coisas, totalmente divorciadas da realidade, para que possam sonhar e esquecer", revelou a aposentada Hortencia Ramirez, entrevistada pela reportagem da Reuters, para quem *Las aguas mansas* foi "um verdadeiro oásis".

Não faltaram explicações sobre o sucesso desta novela em particular na ilha. Intrigado, o semanário *Trabajadores* perguntava: "Que elementos maneja esta telenovela para ganhar o favoritismo do espectador de ambos os sexos?" A resposta: "O clássico motivo da vingança, o desenho das paixões, a precisa caracterização dos personagens, assim como o manejo das relações amorosas", que são capazes de assegurar "um amplo entretenimento, que faz *olvidar* o calor sufocante e os problemas do cotidiano".[18] Obviamente, o sucesso do melodrama incomoda os intelectuais. O crítico do jornal *Juventude Rebelde* diz que o horário da novela colombiana representa um "recesso para a inteligência", embora reconhecendo que "todos a vemos".[19]

Não é raro ouvir falar do sucesso retumbante de uma telenovela de um país em outro — e várias novelas brasileiras foram fenômenos mundiais. Essa comoção coletiva, que ultrapassa barreiras nacionais, ultrapassa também os limites da latinidade e de seu suposto gosto natural pelo melodrama e pelo kitsch. Como explicar que ocorra um fenômeno de proporções semelhantes na distante Romênia?

Já vimos esse filme, ou melhor, essa novela: "As lojas fecham, os trabalhos agrícolas se interrompem e, por uma hora, esta localidade rural da Transilvânia (Ocna Mures) parece um povoado fantasma. Mas não se trata de um alerta generalizado, nem tampouco de uma emergência nacional: é simplesmente o momento da transmissão de um novo capítulo da telenovela mexicana *Esmeralda*."[20] Segundo a reportagem, cenas parecidas ocorrem diariamente em toda a Romênia, desde a chegada das telenovelas latino-americanas em 1989, junto com a revolução que derrotou o governo comunista de Nicolai Ceausescu. No entanto, o *frisson* aumentou quando, dez anos depois, uma nova lei limitou os níveis de erotismo e violência na TV. Os canais do país transmitem pelo menos três telenovelas latino-americanas todos os dias. Como no resto do mundo, as romenas imitam os vestidos e penteados da protagonista, Leticia Calderón, os jornais acompanham de perto o desenrolar da história e todo o mundo torce para um final feliz.

Estariam os países comunistas, ou ex-comunistas, como a Croácia, a Rússia e a China, se latinizando?[21] Ou será que essa tal *latinidad* seria menos uma identidade étnica do que social? Uma identidade facilmente absorvida por países do Terceiro Mundo, onde as massas são cozinhadas em *tensa calma*, como se diz em espanhol, enquanto se *olvidam* da vida assistindo à vida dos outros.

> "Em nossas vidas cotidianas, nós só saímos para o trabalho e voltamos para casa, por isso queremos ver alguma coisa que seja diferente de nossas próprias vidas. A TV nos deu um modelo do resto do mundo", explica um contador de 58 anos, de Xangai, num depoimento ao pesquisador americano James Lull.[22]

Não é surpresa que este modelo ganhe o mundo. Assim como a mercadoria, a telenovela "segue modelos retóricos universais (transnacionais e transculturais), cujo código de organização é homogêneo com a forma produtiva do *medium,* a indústria cultural", diz Muniz Sodré.[23] Num mundo globalizado e voltado para o consumo, os sonhos de felicidade serão praticamente os mesmos.

O melodrama tem na América Latina sua fonte produtora, mas certamente não está restrito a seus limites, atraindo as classes populares — tanto na Ásia, quanto na Europa e nos Estados Unidos, onde compõem uma espécie de Terceiro Mundo dentro do Primeiro. Como nos folhetins e romances açucarados que distraíam Madame Bovary no século passado, as telenovelas vão explorar o tema universal do amor romântico, preparando o ingresso dessas massas subalternas na sociedade de consumo, realizando um tipo particular de mediação transcultural, uma verdadeira educação dos sentidos, ainda que carregada de elementos kitsch.

Assim, o corte de cabelo de Maria Regina (Letícia Spiller), de *Suave veneno,* se tornou um hit entre as moscovitas, quando a novela foi exibida pela ORT, principal emissora local. Em março de 2000, minisséries e novelas da TV Globo estavam no ar em nada menos do que 63 países — entre América Latina, Estados Unidos, Europa, África e Ásia. Mas a campeã absoluta foi mesmo *Escrava Isaura,* comercializada em 120 países. Exibida no Brasil em 1976, 24 anos depois virou mania nacional no Vietnã e na Indonésia.[24]

Se pensarmos que a emergência desses mercados consumidores depende justamente de uma espécie de bovarismo do capitalismo tardio, o que estaríamos realmente exportando para mais de 100 países, como se gabam os executivos da Televisa ou da TV Globo, na enxurrada de nossas lágrimas?

Multinacionais de Terceiro Mundo

Exatamente em julho de 1998, foram lançadas as bases de uma grande *network* da região, a Aliança Latino-Americana. Liderada pela Televisa, ela inclui o SBT e emissoras de outros 16 países, a princípio com o objetivo de trocar material jornalístico, otimizando a cobertura de grandes eventos internacionais.[25] Mas o acordo também prevê a troca de know how, compra de tecnologia de ponta a preços mais vantajosos e, sobretudo, a redução de custos. "A Televisa busca fortalecer os laços de produção entre os países da América Latina para fortalecer os valores comuns, de patrimônio cultural e língua castelhana", discursou o presidente da Televisa, Emilio Azcárraga Jean.[26]

As telenovelas entrariam nesse pacote através de uma associação inédita da Televisa com o SBT para a produção de novelas da TV mexicana nos estúdios da TV brasileira, com atores falando em português. A Televisa entraria com seu know how de produções de baixo custo e de exportação; o SBT ganharia uma porcentagem nas vendas e o direito de exibição no país. Mais do que um aluguel de estúdio, o acordo prevê um rompimento das fronteiras nacionais, das barreiras lingüísticas e até dos diferenciados padrões estéticos locais em torno da formação de um bloco, uma espécie de Nafta sem Estados Unidos, "um tratado de livre comércio televisivo latino-americano". Um dos interesses da Televisa em usar atores brasileiros na produção de telenovelas mexicanas *made in Brazil*, segundo o jornal *Folha de S. Paulo*, é tornar suas produções mais vendáveis no mercado externo, já que "os brasileiros têm um tipo mais europeu".[27] Assim como a pioneira *Pérola negra*, exibida pelo SBT entre 1998 e 1999, os roteiros dessas novelas serão sucessos mexicanos traduzidos para o português e produzidos com mão-de-obra brasileira.

Outro acordo nesses moldes foi fechado entre a Rede Globo e a Telemundo, o canal hispânico dos Estados Unidos. Em março de 2000, a TV brasileira conseguiu furar o bloqueio americano, que já durava 16 anos, e emplacar as novelas *Por amor*, *Força de um desejo* e *Terra Nostra*, além das minisséries *Dona Flor, Hilda Furacão, Chiquinha Gonzaga* e *Labirinto*.[28] O acordo também prevê a co-produção de novelas. "Os folhetins deverão ser escritos aqui, traduzidos para o espanhol e interpretados por atores latino-americanos", afirmou o diretor da Divisão Internacional da emissora, Orlando Marques. "O importante é que sejam falados num espanhol sem sotaque, condição importante para que sejam aceitos no mercado latino-americano."[29] Pela primeira vez as produções da TV Globo serão feitas apenas para atender ao mercado externo. Até então a emissora apenas dublava e cortava suas novelas para adaptá-las aos mercados locais. Seu faturamento com a venda de novelas para o exterior girava em torno de US$ 9 milhões por ano.[30]

Em abril de 2000, dentro da proposta de investir num mercado hispânico com faturamento estimado em US$ 1 bilhão, assumiu a recém-criada área de Produções Internacionais da TV Globo o ex-diretor de programação da TV Record, José Paulo Vallone. O *remake* de *Baila comigo* para a Telemundo será o primeiro de uma série de novelas adaptadas ao gosto latino. Apesar de já concluídas, as novelas serão abertas, sujeitas a grupos de discussão locais. "Não vamos poder ter medo de errar. Manteremos o padrão de qualidade da Globo, mas se a mulher tiver de ser mais perua do que mostramos aqui, vamos fazer. Não vai dar para ter vergonha", declarou Vallone.[31] Um mês antes, quando ainda trabalhava na TV concorrente, ele já previra a guinada no padrão global: "A Globo foi uma emissora que começou popular, se sofisticou, e agora é obrigada a dar um passo para trás: terá que reaprender a fazer o popular sem abandonar o padrão que inventou."[32]

Em matéria de parceria transnacional, a pioneira foi a novela infantil *Chiquititas*, que começou a ser exibida no Brasil em 1997. A história é gravada ao mesmo tempo em espanhol e português em dois estúdios da TV argentina Telefe. Os personagens e as tramas passadas no orfanato Raio de Luz são essencialmente os mesmos, mas, ao contrário da versão em espanhol, exibida em 16 países, a versão em português tem atores brasileiros, que se mudaram para Buenos Aires. No Brasil, a novela, exibida pelo SBT às 20 horas, teve boa audiência (média de 18 pontos de Ibope), e um sem-número de derivados: as chiquititas vendem bonecas, cds, sapatos, roupas, álbuns de figurinhas e revistas.[33] Seu sucesso chegou a influenciar outras produções da TV Globo no horário: *Era uma vez*, planejada para concorrer diretamente com a história argentina, contou com um time de crianças para narrar uma história recheada de órfãos, madrastas e governantas, numa amostra do crescente potencial das crianças como consumidores de telenovela, descoberto em 1989 pela lacrimogênea história mexicana *Carrossel*.

Nos Estados Unidos, particularmente em cidades de extensa população hispânica, como Miami ou Los Angeles, melodramas como *Carrossel* também vêm conseguindo grande êxito. Exibidas pela Univisión, com sede em Los Angeles, e Telemundo, com sede em Miami, as duas principais cadeias de televisão em espanhol nos Estados Unidos, essas novelas são assistidas por um público estimado em 32 milhões de hispânicos residentes no país. Em maio, a emissora WLTV, da cadeia Univisión, que controla 80% desse mercado, chegou ao primeiro lugar de audiência em Miami. Isso significa que mais gente acompanhou os dramas de *María Isabel* ou *Esmeralda* que a badalada série *Seinfeld*, da NBC.[34]

Miami é o maior mercado hispânico do país, formado por uma audiência bilingüe, até então ignorada pela televisão americana. Só na cidade, os hispânicos podem escolher entre quatro canais de TV aberta em espanhol, além de cinco a cabo: Galavisión (da Univisión), Gems (dedicado a assuntos femininos), H-TV (música latina), CBS-Telenotícias e Fox Sports Americas (só com programas esportivos). Segundo dados de 1997, cerca de 1,4 milhão de residências nos Estados Unidos sintonizaram a Univisión no horário nobre, o que a coloca entre as cinco cadeias de TV mais vistas no país. A cadeia tem penetração em 92% dos lares hispânicos nos EUA. Em Los Angeles, o segundo maior mercado das TVs em espanhol, o noticiário do canal KMEX, da Univisión, supera constantemente a audiência do telejornalismo em inglês.

Entre outras coisas, o êxito das redes de TV mexicanas nos Estados Unidos se deve a um projeto mais amplo de *latinidad*, em que a oposição da identidade cultural latina à anglo-saxônica é cuidadosamente desenvolvida por especialistas em mercado, de modo a superar rivalidades e estranhamentos tradicionais entre mexicanos, cubanos e porto-riquenhos, por exemplo.

Há duas hipóteses para se explicar o fenômeno: a primeira seria a gradativa consolidação de uma cultura de resistência hispânica dentro dos Estados Unidos, em que a identificação com as pobres meninas ricas das telenovelas seria um consolo para quem tem a sensação de não pertencer ao universo dos muito ricos de Dallas ou Beverly Hills. Outra hipótese é a de que as redes hispânicas, com todo o seu poder econômico e tecnológico, representariam justamente a emergência de um Primeiro Mundo dentro do Terceiro.

Para abordar esta questão, é preciso abandonar o conceito de subdesenvolvimento em troca de um mais abrangente: o de subalternidade. No contexto de uma comunicação globalizada e migrações constantes, não é mais possível pensar só em termos de um Primeiro Mundo rico e altamente desenvolvido e um Terceiro Mundo subdesenvolvido e marginalizado. Em países subdesenvolvidos como o Brasil e o México, hierarquias e alianças locais permitem que se desenvolvam grandes indústrias de exportação cultural, verdadeiras multinacionais de Terceiro Mundo, munidas de tecnologia de ponta na área de telecomunicações. Mas, dado o regime de concentração de renda nesses locais, "isso não se reflete necessariamente numa modificação do modelo de crescimento que favorece a formação de elites, cujos interesses são os únicos a serem levados em conta, à custa da maioria da população",[35] como diz Armand Mattelart:

> Numerosos estudos confirmam que o modelo de consumo criado pelo sistema transnacional, para que qualquer um possa se beneficiar dele, demanda uma renda acessível a apenas 20 ou 30% da população. Dessa forma, o sistema de comercialização, o sistema de produção e o sistema de comunicação, todos têm um papel complementar no *framework* transnacional pela promoção de um modelo de desigualdade social. O padrão principal que emerge da instalação de novas tecnologias em países como o Brasil mostra que, longe de democratizar o acesso aos bens culturais, eles reforçam os vários tipos de segregação social e consolidam hierarquias.[36]

Para Mattelart, ao estimular o consumo, essas multinacionais de capitalismo periférico oferecem às oligarquias nacionais, tradicionais controladoras do sistema jurídico-político, o controle também do sistema comunicacional. Essa elite vai exercer uma espécie de endocolonização, usando a cultura de evasão para naturalizar estruturas sociais que perenizam seu status de cidadãos e consumidores de primeira classe, excluindo o resto da população das decisões políticas e econômicas. Para Muniz Sodré,

> ao mesmo tempo em que o indivíduo — impossibilitado de participar ativamente da gestão coletiva — recolhe-se à sua existência privada, delega aos outros a possibilidade de realizar imaginariamente seus desejos de movimentação externa. Instala-se aí o germe da sociedade contemporânea.[37]

O Brasil e o México se tornarão agentes ativos desse mercado latino-americano de bens simbólicos, saltando da defesa do nacional-popular para a exportação do internacional-popular. Com isso, o sucesso de grandes empresas como a TV Globo e a Televisa termina por desfazer a imagem imperialista de um centro americano ou europeu e de uma periferia latina, mas para criar outra imagem: a de círculos concêntricos de Terceiros Mundos dentro do Primeiro Mundo e Primeiros Mundos dentro do Terceiro. O processo de transnacionalização da cultura operada pelos meios de comunicação de massa da América Latina acaba por gerar formas concentradas de acumulação de poder e não descentralizadas, como se poderia supor num surto de ufanismo. Segundo Martín-Barbero, "o que está em jogo agora não é a imposição de um modelo econômico, e sim o salto para a internacionalização de um modelo político".[38]

NADA PERSONAL

Desde suas origens, a telenovela latino-americana pode ser caracterizada como um gênero transnacional, o que não significa que não tenha adquirido matizes locais em cada um dos países onde vem sendo produzida. Sua matriz cultural é a publicidade, mais do que o imaginário popular. Na era do rádio, e mesmo nos primórdios da televisão, as grandes agências multinacionais contratavam equipes inteiras de escritores, atores, diretores e produtores, alugando horários na programação das emissoras locais, para repetir até a exaustão a fórmula de sucesso das radionovelas cubanas e *soap operas* americanas.

Firmas como Procter & Gamble, Colgate Palmolive, Lever Brothers produziam elas mesmas as *soap operas*, ou "óperas de sabão", do rádio para entreter as donas-de-casa. Com o sucesso da fórmula, ela foi exportada para toda a América: dos Estados Unidos à Argentina. Por algum motivo — talvez, quem sabe, o tão propagado espírito melodramático latino-americano —, o modelo americano de *soap opera*, com seus diversos *plots*, falta de fio condutor e, principalmente, um desfecho, cederia lugar ao de radionovela popularizado em Cuba, nos anos 30. A central de produção de Goar Mestre exportava radiodramas no melhor estilo "desgraça pouca é bobagem" para praticamente todos os países vizinhos. Também patrocinado por fábricas de sabão, as locais Crusellas e Savatés (que ainda nos anos 30 serão incorporadas pela Colgate-Palmolive e Procter & Gamble), o pioneirismo das radionovelas cubanas se beneficiaria de um sistema radiofônico comercial já bastante consolidado na década de 30, em comparação ao do Brasil e do México, onde se verificaria um certo atraso no desenvolvimento da radiodifusão comercial. "Em 1930, a cidade de Havana possuía, proporcionalmente, um número maior de emissoras do que Nova York, e se estimava, em 1932, que havia uma média de quatro ouvintes para cada receptor."[1]

Em 1958, foi produzida a primeira telenovela do México, *Senda prohibida*. O êxito do teledrama abriu os olhos dos produtores, que se valeram do kinescópio, antecessor do vídeo, para fazer cópias e vendê-las a cadeias de televisão da América Central e do Sul. No Brasil, a primeira experiência de telenovela data de 1951, com *Sua vida me pertence*, transmitida duas vezes por semana. O ciclo das telenovelas diárias começaria mesmo em 1963, com *2-5499 Ocupado*, mas despertaria pela primeira vez a comoção popular só no ano seguinte, com a versão nacional de *O direito de nascer*, decisiva para a transformação da televisão no meio de comunicação de massa mais importante do país. Cinco meses depois do golpe militar, o Brasil parou para ver o encerramento da telenovela ao vivo, com uma grande festa no Maracanãzinho.

Só na década de 70, com o investimento dos governos na expansão dos sistemas nacionais de telecomunicações e o crescimento do mercado publicitário e da venda de aparelhos de TV, a Televisa do México e a TV Globo do Brasil dariam o salto para se tornarem os principais oligopólios midiáticos da América Latina. Durante as últimas três décadas, tanto a Televisa quanto a TV Globo mantiveram sua hegemonia graças a boas relações com o poder, ditatorial ou não.

No México, assim como no Brasil, a democratização política não foi acompanhada da democratização da televisão, a não ser daquela que apela para a "popularização" da programação, como sinônimo de baixa qualidade estética e de conteúdo. Nos dois países, o sistema de concessões de canais de TV é bastante permeável à corrupção: no caso do Brasil, não faltam relatos de barganha política na troca de concessões de retransmissoras por votos em projetos de interesse do governo; no caso do México, o processo de privatização das TVs estatais foi marcado por um escândalo financeiro envolvendo o irmão do ex-presidente Raúl Salinas.

Para furar a hegemonia da Televisa e TV Globo, as armas de um país serão usadas contra o outro. O SBT e a TV Azteca atacarão com estratégias inversas para eventualmente chegar ao primeiro lugar na audiência. O SBT investirá numa programação popularesca, muitas vezes apelando para o grotesco, num verdadeiro atentado contra o padrão Globo de qualidade. Na verdade, nessa apelação, fará pouco mais do que reeditar velhas fórmulas já abandonadas pela número 1 em seu salto de qualidade em direção às classes altas: programas como os velhos *Silvio Santos*, *Hebe Camargo*, *A praça é nossa*, *Concurso de paródias de Moacyr Franco* e os mais recentes *Gugu*, *Aqui e agora*, *Ratinho*, *Fantasia*, além, é claro, dos melodramas mexicanos no melhor estilo "desgraça pouca é bobagem", recordam um passado popularesco que a Globo deseja mais esquecer do que lembrar. O surpreendente é que as velhas fórmulas, quer em seu modelos quase imutáveis, quer em nova roupagem, ainda funcionam. Alojando-se nas falhas do Brasil moderno, o arcaico ainda dá ibope.

A TV Azteca, por outro lado, usará estratégias muito parecidas com as que consolidaram a TV Globo na liderança de audiência para tentar ultrapassar a Televisa. Usará roteiristas com passado de esquerda para escreverem suas novelas "engajadas", investirá na qualidade técnica e estética, convocará atores consagrados no teatro e no cinema (em vez dos rostinhos bonitos escolhidos ao acaso para participar dos cursos para atores da concorrente), ousará atacar de frente temas tabus como a liberação feminina, o sexo, a violência e a corrupção, trazendo a realidade local para dentro das histórias e, definitivamente, abolirá a *Cinecienta*, a Cinderela. Acabará conseguindo o que a Televisa jamais conseguiu: que a classe alta e a elite intelectual mexicana assistam e discutam as telenovelas, tirando-as das páginas de fofocas dos jornais para a parte nobre do noticiário.

O advento da TV por assinatura, via cabo ou por satélite, e sua influência na alteração da programação da TV comum não podem ser negligenciados. A TV aberta tenderá a estandardizar seu conteúdo, buscando uma espécie de fio condutor comum a todos os telespectadores, enquanto a televisão paga, cujo acesso ainda é restrito às elites econômicas dos dois países, diversificará sua oferta temática não só aumentando o número de canais, como a procedência dos programas. Com a TV fechada, oligopólios nacionais, por força de novas alianças econômicas, se transformarão em corporações transnacionais. Exemplos: a Direct TV Latinoamérica, formada pela Multivisión, do México, Hughes Comunication, dos Estados Unidos, TV Abril, do Brasil e Organização Cisneros, da Venezuela. E também a Sky, união da Televisa com as Organizações Globo, News Corporation e ICI, dos Estados Unidos.

É interessante notar como, nesse tabuleiro, as peças serão movidas conforme a conveniência. Se na TV aberta o SBT tem na Televisa mais do que um modelo, uma parceira, no sistema de TV por assinatura as alianças são outras. A Televisa tem o que chama de "aliança estratégica" com as Organizações Globo, The News Corporation Limited e a ICI, para oferecer serviços de TV por assinatura via satélite para a América Latina e Caribe, assim como para audiências de língua hispânica nos Estados Unidos e sul do Canadá. Renato Ortiz esclarece:

> A repetição internacional de canais de TV tece uma espécie de elo unificador a nível global que permite simultaneamente seguir uma telenovela, um seriado ou os últimos acontecimentos noticiosos nas telas de Santiago do Chile, Buenos Aires, Tegucigalpa ou Panamá. Assim, as fortes alianças econômicas constituem hoje em dia o sólido andaime de distribuição criado pelas multinacionais do audiovisual, que se reconhece como processo de globalização.[2]

O desenvolvimento tecnológico será a ferramenta para essa mudança de perspectiva. A nova era da TV internacional começa na década de 80, utilizando a capacidade redistributiva dos satélites de enviar sinais para todas as partes do globo. Para seduzir este público agora globalizado, as redes de TV aberta passarão a focalizar cada vez mais temas abrangentes e de apelo popular, enquanto a TV por assinatura tende a se segmentar em canais específicos de notícias, filmes, esportes, música, dirigidos a um público de maior poder aquisitivo e cosmopolita. A competição se acirrará a nível não só nacional, como internacional. Ao deixar de sintonizar a TV aberta, o público das classes A e B tende a, primeiro, fazer decair sensivelmente os níveis de audiência; segundo, diminuir sua influência nos rumos da TV brasileira.

Tex Mex

O primeiro canal de televisão do México, pioneiro na América Latina, data de 1950. Dele descende diretamente a Televisa, que foi criada em 1973 pela fusão do Telesistema Mexicano e Televisión Independiente de México (o primeiro surgiu em 1955, resultado da união dos canais 2, 4 e 5, e o segundo, em 1968). O grupo Televisa dispõe de quatro canais de televisão a nível nacional, 58 emissoras locais, um canal internacional, 17 estações de rádio e é líder de audiência na TV por cabo. Com 20 mil empregados, controla cerca de 85% da oferta televisiva do México e é o maior produtor de televisão em espanhol. Além de ser líder mundial em publicação e distribuição de revistas em espanhol, tem um jornal, produz e distribui discos e filmes.[3]

A Televisa produz mais de 100 mil horas de programação original, que distribui tanto no mercado nacional como em 89 países. É líder de audiência no México, transmitindo em média 90% dos 50 programas de maior popularidade no país.[4] A companhia opera sua própria escola artística, formando atores, pessoal de apoio técnico, roteiristas e diretores, o que, nas palavras da própria Televisa, "permite produzir uma grande variedade de programação da mais alta qualidade, sob uma estrutura de custos favorável".[5] O canal 2, "O Canal das Estrelas" se firmou como "el canal novelero por excelência", dedicando boa parte da sua programação vespertina e noturna à programação dos *culebróns*.[6]

Nos anos 70, quando a Televisa surgiu, o México vivia um período de efervescência e questionamento político, provocado em boa parte pelo massacre dos estudantes de Tlatelolco, em 68, episódio traumático para o país até hoje, como explica Francisco Aguilera:

> As mobilizações sociais permaneciam e as instituições oficiais necessitavam recobrar o controle das massas. Fatores econômicos, políticos e sociais configuravam um ambiente particular em que os diversos grupos sociais tentavam obter algum tipo de vantagem em seu benefício. O aparato governamental, por sua parte, acusava uma

situação desfavorável. O déficit da balança comercial chegava a US$ 1 bilhão em 1970, subindo R$ 600 milhões em apenas dois anos.[7]

Críticas ao funcionamento dos meios de comunicação de massa, especialmente à televisão comercial, provocaram o temor de uma estatização dos canais já existentes. Na prática, apenas o canal 13 passou para as mãos do governo (mais tarde, ao ser privatizado, daria origem à nova TV Azteca). Diante da pressão estatizante, os concessionários privados deram sinais de inconformismo: sua resposta foi a união do Telesistema Mexicano e da Televisão Independiente de México para formar a Televisa, como informa Fátima Fernández:

> A imagem negativa da programação comercial que o governo tentou criar na opinião pública, assim como a propaganda acerca de seu poder na mão dos empresários, foi passageira, ao passo que a derrota que o Estado sofreu, com a consolidação do monopólio comercial privado, acrescida de uma regulamentação quase que meramente administrativa, e a demonstração do poder político empresarial são feitos consumados já nos primeiros meses de 1975.[8]

Logo governo e empresários descobririam ser mais aliados do que rivais. Dirigida até abril de 97 por Azcárraga Milmo, fiel ao Partido Revolucionário Institucional, o partido que governou o México durante 71 anos, a Televisa tinha o poder de definir o que era notícia no país. E, talvez mais importante, o que não era. A ligação era tão estreita que o principal apresentador de noticiários da rede, Jacobo Zabludovsky, passou a ser visto como um porta-voz do PRI. Aposentado pelos novos tempos, foi uma espécie de Cid Moreira de lá. Como lembra o analista de mídia mexicano Raúl Trejo, "a Televisa já teve o poder político e econômico da ABC, NBC e CBS juntas".[9]

Em troca da lealdade aos sucessivos presidentes pelo PRI, a Televisa foi protegida da competição interna. Foi a única televisão privada do México até que, em 1993, começou a sofrer a concorrência da TV Azteca. Com a hegemonia garantida pelo monopólio do mercado nacional, a empresa se expandiu em direção ao exterior. Seu carro-chefe de exportação foi a telenovela.

Aldeia Global

Assim como no México, as primeiras emissoras de TV brasileiras foram inauguradas nos anos 50. Só 15 anos depois, no ano seguinte ao golpe militar, a maior delas — a TV Globo — seria criada. Seu proprietário, Roberto Marinho, já contava com o *background* de um jornal influente, uma rádio popular e um acordo com o grupo americano Time Life. Hoje, a TV Globo tem uma rede de 107 emissoras afiliadas em todo o país e é o carro-chefe das Organizações Globo, uma holding de 110 empresas, que incluem rádios, jornais, revistas e uma TV a cabo. Com uma audiência estimada em 120 milhões de telespectadores, a TV Globo atinge 98% dos domicílios brasileiros, emitindo sinais para todo o território nacional, inclusive para regiões que ainda não têm acesso à energia elétrica.[10]

No entanto, a televisão no Brasil surgiu como um brinquedo de elite (no final da década de 50 o número de aparelhos não chegava a 1 milhão), com uma programação voltada para este público, como a das pioneiras Excelsior, Record, Rio e Tupi.[11] Junto com o automóvel, o aparelho de TV era o símbolo de status mais claramente associado à modernidade pelas classes média e alta. "A ausência de uma estrutura comercial-publicitária e o contato estreito com as elites empurraram a TV brasileira incipiente para uma linha culturalista de ação", lembra Muniz Sodré.[12] Recitais de música clássica se alternavam com teleteatro e adaptações de romances consagrados.

Em 67, dois anos depois de ser criada, a TV Globo começou a mudar esse quadro. A arrancada foi baseada numa programação nitidamente popularesca. Programas de entretenimento, como Chacrinha, Hebe Camargo, Dercy Gonçalves e Silvio Santos tinham uma função nítida: formar uma audiência de reserva, similar à mão-de-obra de reserva, integrando os grupos C e D da população a um projeto nacional-progressista.

> A Globo foi a principal responsável pela *estética do grotesco*, que liderou a audiência de TV entre 68 e 72, justamente o período do *boom* econômico. O grotesco significou uma singularíssima aliança simbólica da produção televisiva com os setores pobres ou excluídos do consumo nas *ilhas* desenvolvidas do país ... Para conquistar a audiência popular das grandes cidades, a televisão brasileira, capitaneada pela TV Globo, passou a acionar o lado arcaico da vida nacional.[13]

No período de transição da audiência local para a regional, e posteriormente nacional, a Globo se firmou com sua programação popularesca, "que na prática se baseia num sistema consolatório, que distribui justiça a varejo, oferece prêmios, localiza parentes perdidos, arranja casamentos, arbitra litígios entre vizinhos", como explica Inimá Simões.[14] Um modelo populista-eletrônico que se consolidaria como o modelo de programação destinada às classes populares até hoje.

Garantida a plataforma numérica, a TV Globo mudou novamente seus rumos, atendendo aos interesses das agências de publicidade. Após 72, ela se voltou para a conquista de telespectadores das classes mais altas e, conseqüentemente, de anúncios mais caros. "Tão logo a TV deu como consolidada sua hegemonia industrial, desfez a aliança simbólica com as camadas excluídas, pondo fim à programação do grotesco", assinala Muniz Sodré.[15] Nas telenovelas, o padrão "desgraça pouca é bobagem" tocado com mão de ferro pela cubana Glória Magadan — que não permitia que os melodramas fossem adaptados para o cenário nacional, "porque o brasileiro não é romântico", preferindo usar a Arábia e a Espanha como cenários — cedeu lugar a um projeto nacional de teledramaturgia. Autores saídos da experiência de teatro revolucionário do CPC ou com forte engajamento político foram cooptados para garantir a evolução do gênero: Dias Gomes, Gianfrancesco Guarnieri, Lauro César Muniz, Bráulio Pedroso e Oduvaldo Viana Filho (Vianinha), entre outros, como já assinalou Renato Ortiz:

> Na verdade, o que temos é o agenciamento, por um segmento de intelectuais, autores e diretores, de propostas já legitimadas pelo

> debate social. Consegue-se desta forma consagrar uma atividade considerada como menor no campo da cultura, ao inseri-la numa discussão estética e política mais ampla.[16]

O projeto de nacionalização do conteúdo das telenovelas seria fundamental para criar a identificação do público com o projeto modernizante do "milagre brasileiro" e o estabelecimento da hegemonia do padrão Globo de qualidade. As histórias das telenovelas globais tendem até hoje a girar prioritariamente em torno das faixas salariais beneficiadas pela concentração de renda (classes A e B), os reais consumidores brasileiros. O outros têm que se contentar em substituir o consumo real pelo consumo imaginado, integrando o país que aparece nas telenovelas apenas nesse nível: o da ficção. Mesmo assim, esse espelho glamourizado e distorcido é "o elemento formador de uma nova identidade, identidade brasileira, identidade-de-brasileiros, talvez o mais parecido com uma identidade nacional que este país já teve", reconhece Maria Rita Khel.[17] A Rede Globo atinge do Oiapoque ao Chuí, mas qual é o país que vai ao ar: o simulacro da realidade ou uma realização da ficção? De acordo com Esther Hamburger,

> a novela atualiza (constantemente) seu potencial de sintetizar uma comunidade imaginária, cuja representação, ainda que distorcida e sujeita a uma determinada variação de interpretações, é verossímil, vista e apropriada como real e legítima. Tal representação de uma comunidade nacional imaginária mais branca e mais permeável à ascensão social que a sociedade real foi construída sob o signo da superação do atraso.[18]

O sucesso dessa síntese é tal que, na prática, acaba ocorrendo um verdadeiro monopólio da audiência pela TV Globo, deixando antigas concorrentes como Tupi, Record, Rio e Excelsior afundarem. Mas só no final da década de 70 o governo resolve tomar uma medida para diminuir o poder da Globo. O processo de abertura de novas concessões é concluído em 81, com a vitória dos grupo Bloch e Silvio Santos (contrariando as expectativas do Jornal do Brasil e da Editora Abril).

Hoje, efetivamente a hegemonia da TV Globo começa a dar sinais de enfraquecimento, com a diversificação do mercado provocada pela introdução da TV a cabo, o vídeo e o aumento da concorrência a partir da década de 90. Novos programas apareceram para questionar as representações modernizantes anteriores, incluindo a reedição dos velhos melodramas e a apelação a conteúdos erótico-grotescos. Entre 1990 e 93, a audiência das novelas das sete e das oito da Rede Globo caiu aproximadamente 11 pontos. Entre 1989 e 1997, a média anual de audiência da novela das sete em São Paulo decresceu de 60% para 35%.[19]

Espelho ou fantasia?

O comandante Fernando Gómez, da polícia mexicana, acende um cigarro e olha demoradamente para o corpo crivado de balas num furgão. Era seu melhor amigo, o campeão da luta contra a corrupção, Raúl de los Reyes, assassinado quando estava prestes a ser nomeado procurador-geral da República. O comandante chefiou toda a operação: "Não é nada pessoal, irmão. Nada pessoal."

Assim começava a novela *Nada personal*, que, em 1996, demoliu tabus e marcou uma guinada em relação às novelas água-com-açúcar que dominavam a TV mexicana. Na tela, a vida real, incluindo uma referência a dois assassinatos de líderes políticos, dois anos antes: o candidato à presidência do México Luis Donaldo Colosio e um dirigente do partido governante, Francisco Ruiz Massieu.[20]

Nada personal foi produzida por um trio inverossímil: Ipigmenio Ibarra, ex-correspondente de guerra em El Salvador e na Nicarágua; Hernán Vera, ex-guerrilheiro que no passado dirigiu a estação de rádio dos rebeldes esquerdistas de El Salvador; e María Barrios, ex-militante do Movimento para o Socialismo na Venezuela. Os diretores da produtora Argos "dificilmente seriam o tipo de pessoa que participaria de uma indústria notoriamente dedicada a contos-de-fada açucarados sobre pobres e lindas jovens cujo único objetivo na vida é conquistar o amor de homens ricos", reconhece a revista *Time* em sua reportagem de capa.[21]

Na guerra pela audiência, vão buscar o modelo oposto ao mexicano, o brasileiro, para criar "telenovelas de ruptura". O conservadorismo da sociedade mexicana será colocado em xeque, com novelas como *Mirada de mujer*. As lutas políticas aparecerão finalmente na tela. Até que fossem ao ar as novelas da TV Azteca, o México nunca havia visto uma novela com denúncias sobre corrupção, narcotráfico, instituições de poder. Nunca uma telenovela tinha transcendido as páginas de fofocas para as de política e cultura. "Esta mudança nos fez ganhar muitos adeptos e, pela primeira vez, a Televisão Azteca se tornou uma ameaça em popularidade e em competência", lembra Ipigmenio Ibarra, diretor geral da Argos TV, que produziu telenovelas polêmicas como *Nada personal* e *Mirada de mujer* para a TV Azteca. Como relata Ibarra:

> Quando eu era correspondente de guerra, via as telenovelas brasileiras e me assombrava; via as colombianas e aprendia; via as venezuelanas e as questionava, via as mexicanas e as repudiava. Mas acabava vendo telenovelas e, mesmo em meio à guerra, percebia que as pessoas assistiam às novelas, de modo que me dei conta de que ali havia um meio maravilhoso de levar informação às pessoas. Para nós, a televisão não é um buraco onde você se refugia da realidade. Ao contrário, é um espelho para refletir a realidade.[22]

Para ele, o futuro da telenovela latino-americana está na capacidade de "evoluir", explorando novos temas que não a fórmula da menina pobre que se casa com um homem rico. A idéia empolgou até o escritor mexicano Carlos Fuentes, que, quatro décadas depois de sua publicação, autorizou a adaptação de seu livro *A região mais transparente*, de 1958, para a televisão. Os produtores? Ipigmenio Ibarra e Carlos Payán.[23]

> Em nosso país, há muitíssimas pessoas que não têm nenhuma chance de formação educativa além da que é dada pela televisão. Nós devemos contribuir com algo para liberá-las dessa condenação. E

que melhor forma pode ser senão oferecendo-lhes uma telenovela que tem muito mais de espelho do que de fantasia?[24]

Mas a revolução foi muito menos política do que de comportamento. *Mirada de mujer* (1997-98) marcou um momento de ruptura nas telenovelas mexicanas, permitindo que pela primeira vez a TV Azteca conseguisse primeiro lugar na audiência. A história de María Inés, uma cinqüentona que arrisca tudo pelo amor de um homem 17 anos mais jovem, provocou um intenso debate social, ainda mais porque tocou em temas tabus como Aids, infidelidade, estupro e racismo. María Inés se converteu em "uma heroína das mulheres mexicanas ansiosas por liberarem-se do jugo do machismo".[25] Depois de casada por 27 anos, ela é abandonada pelo marido infiel, mas, ao encontrar um novo amor, tem que se deparar com intermináveis problemas com sua família rica e a sociedade conservadora.

Esteticamente, a novela também inovou. Todas as reportagens sobre o fenômeno *Mirada de mujer* (que começou a ser exibida no Brasil, em julho de 2000, sob o título *Olhar de mulher*, pela Rede Record) dão conta da qualidade de sua produção e elenco de primeira linha, destacando-se a escalação de Angélica Aragon, uma atriz mexicana de respeitável trajetória cinematográfica. Até o jornal mexicano *El Financiero*, em geral dado a assuntos mais "sérios", assinala a "inusitada resposta", que atribui a "novas propostas estéticas, dramáticas, um público reflexivo e maduro, uma oferta inteligente e sensível".[26]

Em mais uma mostra da transnacionalidade do gênero, *Mirada de mujer* foi uma versão de uma novela colombiana, *Señora Isabel*, só que reformulada por seu autor, Bernardo Romero. O roteirista colombiano passou um ano no México, enriquecendo a história com aspectos da sociedade local e transformando uma novela que originalmente tinha 50 capítulos de uma hora em 200 capítulos com duração variando entre 30 e 45 minutos, totalizando 90 horas.[27]

Mas o que foi polêmica, e sucesso, em *Mirada de mujer* se transformou em escândalo, e fracasso, na telenovela seguinte. *Tentaciones* (1998) provocou a ira da Igreja Católica e de grupos conservadores, ao descrever os dilemas de um padre entre o dever sacerdotal e o desejo carnal. A Conferência Episcopal Mexicana se pronunciou, um grupo feminino conservador, *Las damas de blanco*, fez uma manifestação pública para exigir a saída da novela do ar, altos dirigentes dos principais partidos — do governista PRI aos opositores Partido Acción Nacional e Partido de la Revolución Democrática — divergiram quanto à defesa da liberdade de expressão.

Os grupos conservadores e defensores da moral e dos bons costumes mexicanos conseguiram introduzir algumas modificações na história. Afinal, as telenovelas não são obras abertas? Mas nada aplacou a fúria de associações que parecem ter sido criadas em algum melodrama, como *Las damas de blanco*, um grupo secreto integrado por 300 mulheres, de quem se desconhece a identidade. Essas damas de branco patrocinaram um anúncio de página inteira nos principais jornais mexicanos, comparando o país com a Espanha, onde, segundo elas, "a droga, a homossexualidade, a Aids e a promiscuidade alcançam números recordes".[28] O anúncio dizia:

> A Espanha não era assim há 17 anos e, se hoje está como está, isso se deve à ação dos meios de comunicação e de agências como a Argos ... que promovem um modelo de matrimônio, sexualidade e família como o que levou à libertinagem sexual na Espanha, onde os casos de jovens com psicopatologias sexuais são muito graves, quase 2 milhões.[29]

As damas de branco continuavam: "O México não será como a Espanha. Não é um país saxão e não vai sê-lo." A argumentação denuncia uma série de questões. Primeiro, a data. Por que exatamente 17 anos antes a Espanha era um país decente? Percebe-se uma relação bem clara entre liberalização dos costumes e liberdade política, entre conservadorismo moral e conservadorismo institucional. Outra questão diz respeito ao conceito de saxão em oposição ao de latino. Para pessoas como essas damas de branco, o México teria no conservadorismo um fator de preservação da identidade nacional, sempre em risco de se contaminar com os costumes avançados dos vizinhos de cima. Volta-se à questão da construção da América Latina como oposição tanto ao colonizador europeu, quanto ao inglês e norte-americano. E o papel da religião nesta definição, criada em plena luta entre catolicismo (religião de 80% dos 95 milhões de mexicanos) contra o protestantismo.

"A Inquisição acabou", reagiu Ipigmenio Ibarra, o produtor da telenovela. Mas, em meio ao conflito, a TV Azteca modificou os anúncios de promoção da telenovela, que mostravam sucessivamente um sonho erótico do religioso, um Sagrado Coração, uma cruz formando o T inicial de *Tentaciones* e o ator com indumentária de sacerdote. Uma maçã mordida passou a ser o símbolo de *Tentaciones* e o ator apareceu sem a roupa de padre.

No entanto, nem assim os grupos conservadores esqueceram a história. As damas de branco foram substituídas pela Unión Nacional de Padres de Familia, que desejava nada menos do que a retirada do ar de todas essas *tentaciones*. "O povo mexicano não necessita de que quem se dedica à diversão toque em temas que são de consciência. Desejamos a eliminação da novela e que a televisão não toque nestes temas. Não são temas que estejam no ar para serem tratados superficialmente", afirmou Mario Vega López, diretor da Unión Nacional de Padres de Familia.[30]

Curiosamente, a revolução dos guerrilheiros *aztecas* só foi possível depois do processo de privatização da rede estatal de televisão, Imevisión. Em 1993, na onda das privatizações das empresas estatais, os dois mais importantes canais públicos do país, o 7 e o 13, foram concedidos à Televisión Azteca, ligada ao maior distribuidor mexicano de aparelhos elétricos, Ricardo Salinas Pliego, e a uma negociação nebulosa com o irmão do ex-presidente Raúl Salinas de Gotari, envolvendo uma suposta intermediária nas Ilhas Caymans.

Teoricamente, ao se redefinir o papel do Estado na televisão, o gasto público se reduziria e a competência do mercado se encarregaria de refletir uma maior pluralidade social. Claro que não foi exatamente isso o que aconteceu. "O processo privatizador implicou em diminuir a força das televisões regionais, que vinham num caminho ascendente, reduzindo-as, em muitos casos, a porta-vozes dos governos estatais", conta Delia Druetta.[31] Os dados são da

Secretaría de Comunicaciones y Transportes do México: entre 1988 e 1994, as concessões particulares de estações de TV passaram de 129 para 301, ao passo que as "permisionadas" (sem fins lucrativos) se reduziram de 276 para 110.

Em 1997, a Televisión Azteca conquistou quase um terço da audiência de TV no México. Suas operações geraram maior fluxo de caixa — lucros antes de despesas financeiras, impostos, depreciação e amortizações — que a Televisa, com menos de metade da receita da concorrente. "Eles se tornaram uma companhia muito preguiçosa", alfinetou Salinas Pliego, numa entrevista ao *The Wall Street Journal Americas*.[32]

Baú da felicidade

No Brasil, a guerra por audiência seguiu o caminho contrário. Silvio Santos, um ex-camelô que mantinha um programa dominical de sucesso na TV Tupi e depois na própria TV Globo, em 1975 ganhou a concessão de um canal de televisão, que iria se juntar às outras 26 empresas que já faziam parte de sua holding, iniciada com a venda de carnês do Baú da Felicidade. Tentativas de furar o domínio da TV Globo já tinham sido feitas esporadicamente. A TV Manchete, apostando em telenovelas no padrão de qualidade da concorrente, chegou eventualmente a ultrapassá-la em audiência, antes de cair vertiginosamente num processo de falência.

Ocupando os estúdios da extinta TV Excelsior, na década de 80, o SBT se consolidaria no segundo lugar em audiência, com sua vocação mais popular, saltando da média de três pontos iniciais do Ibope para 10. "Não vamos pescar onde o peixe é raro. A gente quer é o cardume. Para nós, programa bom é o que dá audiência", definia o diretor Moisés Weltman em 1981.[33] Quase 20 anos depois, a estratégia se mostra acertada, com o SBT igualando ou batendo em audiência vários programas da Globo. A média geral do SBT pulou de 12 pontos no horário nobre, em 1998, para 17 pontos na virada do ano 2000. Mesmo assim, a Globo manteria sua hegemonia financeira. Enquanto 30 segundos de anúncio na Globo custam até

R$ 139 mil, no SBT o valor máximo é de R$ 75 mil. Em 1999, o Grupo Silvio Santos, já com 33 empresas, teve um lucro de R$ 479 milhões, apenas 25% do lucro conseguido pelas Organizações Globo, algo em torno de R$ 1,8 bilhão.[34]

Desde o início, o SBT apostou no melodrama tradicional como forma de mobilizar o telespectador. Recorrendo a textos mexicanos adaptados ou novelas importadas, como um *remake* de *Direito de nascer*, entre 1983 e 1984, o SBT ocupou 23% do tempo de sua programação com novelas, contra 20% da TV Globo. Mas "a maioria dos programas tem uma audiência inferior a 10%. *Direito de nascer* não consegue mais repetir o êxito que alcançou anteriormente, como se uma página da história da sociedade brasileira tivesse sido virada",[35] opina Ortiz.

Em 1994, Silvio Santos resolveu apostar novamente na importação da dramaturgia mexicana. Adquiriu, de uma só vez, 52 episódios da série *Chaves* e 247 capítulos da novela *Os ricos também choram*. "Disse ao Silvio que ele não precisaria me pagar caso os programas tivessem menos que três pontos no Ibope. *Os ricos também choram* passou dos 20 pontos", lembra Augusto Mazargão, então vice-presidente da Televisa.[36]

Economicamente, foi uma vitória. Para se ter uma idéia, a Televisa gasta entre R$ 30 mil e R$ 45 mil para produzir cada capítulo de novela, que é exportado para o Brasil a um preço que vai de R$ 3 mil a R$ 4 mil. Custa menos que a dublagem, em que o SBT gasta entre R$ 5 mil e R$ 7 mil por capítulo. Sai muito mais barato do que produzir uma novela no Brasil, onde o preço gira em torno de R$ 55 mil por capítulo, dentro dos padrões do SBT. Se seguir o padrão Globo de qualidade, o custo por capítulo sobe mais ainda: de R$ 80 mil a R$ 120 mil.[37]

A invasão mexicana no Brasil começaria mesmo com a trilogia *Maria do Bairro*, *Maria Mercedes* e *Marimar*, novelas que caíram no gosto popular e conquistaram de 12 a 24 pontos no Ibope, índice difícil de alcançar dada a hegemonia da TV Globo. No entanto, reclama o departamento comercial do SBT, tal fenômeno de popularidade, principalmente entre as classes D e E, não angariaria nem um anunciante a mais. "É um público que não tem poder aquisitivo", justificou Mazargão.[38] Exibida em 1999, *A usurpadora* repetiria o efeito tequila. A novela, que já tinha sido vendida a 120 países e traduzida em mais de 25 idiomas, oscilou entre 19 e 21 pontos do Ibope, um ótimo índice se comparado ao de *Suave veneno*, a novela da TV Globo mais vista no período, que obteve entre 35 e 38 pontos.[39]

Segundo as normas mais modernas do Critério de Classificação Econômica do Brasil, utilizadas pelas agências de publicidade, a classe E teria uma renda mensal estimada em até R$ 262 (12% da população). A classe D ganharia até R$ 496 (33%). Na classe C, a renda subiria para até R$ 1.064 (31%). A partir daí, o público vai sendo segmentado em nome de uma sintonia mais fina do mercado consumidor por excelência. Faria parte da classe B2 quem ganha até R$ 1.770 (11%) e da B1 quem chega a R$ 2.943 (8%). A classe A2 teria um faturamento mensal de até R$ 5.554 (4%). Apenas um por cento da população se enquadraria na classe A1, com renda mensal calculada em mais de R$ 5.555.[40] Para o mercado publicitário brasileiro, interessaria mais atingir esses 24% da população incluídos nas classes A e B do que os outros 76% sem poder de compra. "A televisão se satisfaz, para manter-se em níveis ótimos de operacionalidade, com uma faixa bem menor de público que aquela contabilizada nas estatísticas", aponta Renato Ortiz.[41]

Os pontos de Ibope da trilogia mexicana protagonizada por Thalia Ariadna provocaram a relativização de velhas certezas e da auto-imagem do público brasileiro construída pela TV: a página melodramática não estava tão virada quanto se supunha. De repente, uma parcela do público abria mão da qualidade estética oferecida pelo padrão Globo de qualidade, que há mais de 20 anos servia de parâmetro para qualquer rede de TV, em nome de outra absolutamente kitsch. Apesar de educada numa cultura televisiva obsessiva com a qualidade, de uma hora para outra boa parte da população parecia preferir dar uma espécie de passo atrás e assistir a um melodrama como nos velhos tempos.

Mexicanização passou a ser uma preocupação generalizada. A estréia do *remake* de *Anjo mau*, novela transmitida pela primeira vez em 1976, 21 anos depois, foi saudada como uma mostra de que a TV Globo também resolveu "dar uma mexicanizada na sua teledramaturgia, apesar da cuidada superprodução".[42] Entre os sinais de mexicanização, estaria a diminuição das tramas paralelas, com a ação totalmente centrada na saga de Nice, a babá sem escrúpulos que faz de tudo para se casar com o irmão da patroa. Outro sinal seria o próprio conteúdo da história, uma reedição da velha fórmula da Cinderela. Apesar das evidências, a Globo negou peremptoriamente essa virada popular: "No Brasil, cada vez que a TV aponta para as classes C, D e E comete um erro. Em vez de mostrar o que as pessoas poderiam ambicionar, mostra o que não deveriam ser", afirmou o vice-presidente executivo da TV Globo, Roberto Irineu Marinho, quando pressionado a se manifestar sobre a questão.[43]

Mexicanização viraria, no Brasil, o oposto do "padrão Globo de qualidade" e sinônimo de kitsch. Os capítulos são mais baratos, a estética (dos cenários à iluminação e aos figurinos) de uma pobreza alarmante, a psicologia dos personagens estereotipada, os atores fracos (em nada comparáveis às grandes damas do palco, como Marília Pêra e Fernanda Montenegro, que vez por outra dão uma mostra de seu talento na TV), a história é previsível do início ao fim, o roteiro praticamente não conta com tramas paralelas e, principalmente, a "desgraça pouca é bobagem" corre solta.

Mas existiria realmente uma involução?

É fatal que o modelo global — voltado para as classes A e B, seu público ideal — acabe falando de um universo de consumo e valores estranho à maioria de sua audiência. O processo de mexicanização acabaria sendo potencializado por uma migração das classes mais altas para a TV a cabo, de um lado, e por uma bolha de crescimento econômico, causada pelo fim da inflação, por outro. Essas milhões de pessoas que passam a ganhar o status de cidadão consumidor vão comprar as dentaduras, os frangos e os iogurtes, exemplos de que o presidente brasileiro faz uso para demonstrar o sucesso de seu plano econômico. Mas o que essa massa de emergentes na sociedade de consumo mais vai comprar é eletrodomésticos: especialmente televisores. Foram 8 milhões só em 97, contra uma base histórica de 2 milhões de aparelhos por ano.

Segundo enquete do instituto de pesquisa Retrato Consultoria e Marketing, que anualmente desenvolve a pesquisa *Hábitos de mídia das* TVs *abertas e por assinatura*, o perfil do telespectador começou a mudar com a estabilização econômica a partir de 1994, que permitiu às classes C e D comprar aparelhos de televisão com mais facilidade. "Essas classes têm o direito de querer produções que as agradem. Não existe mais unanimidade na programação, cada programa fala para sua turma", comenta a socióloga Teresa Monteiro, diretora do instituto, a partir de uma pesquisa que demonstrou o interesse dessas classes por programas populares.[44]

Estaria acontecendo uma espécie de revanche dos telespectadores de baixa renda, os desqualificados pelas agências de publicidade e grandes anunciantes? A verdade é que ninguém é obrigado a ver TV e os tempos do canal único já se foram. Agora, o telespectador se dá ao direito de mudar de canal, mesmo que seja para assistir a algo identificado como a quintessência do kitsch. Ao contrário das teorias sobre a imposição de "padrões culturais inferiores" para o povo, há aqui claramente uma escolha. E é ela que precisa ser analisada.

A cumplicidade com um modelo mais simples parece funcionar como uma resposta à proposta modernizante cultivada pela TV brasileira. Uma rejeição ao padrão Globo de qualidade, especialmente no que ele tem de "avançado", avanço que pode ser facilmente confundido com banalização da sexualidade. A carta do leitor publicada pela Revista da TV do *Jornal do Brasil* dá uma mostra do que pensam alguns telespectadores que trocaram as novelas brasileiras pelas mexicanas.

> "Vocês ficam se perguntando a razão do sucesso das novelas mexicanas, mas a fórmula é muito simples: nenhum apelo sexual para obter audiência. A família inteira pode assisti-las. Já não podemos mais ver programas e novelas brasileiras sem constrangimentos, evitando que as crianças assistam a cenas e danças impróprias. A qualquer hora do dia, o nível é quase o mesmo. Como eu, diversos telespectadores gostariam que as emissoras brasileiras agissem a la mexicana, ou seja, pensando mais na formação de nossa infância e

juventude, e não apenas nos lucros. Aliás, as novelas mexicanas estão aí para provar que estes artifícios são desnecessários. Mesmo com qualidade técnica inferior, elas estão conseguindo audiência superior a algumas superproduções brasileiras", diz Eunice dos Santos Leal, identificada apenas como moradora do Rio Comprido, bairro de classe média do Rio de Janeiro.[45]

Uma nova onda de conservadorismo religioso é um fator que também não pode ser menosprezado. Seitas evangélicas — como a Igreja Universal do Reino de Deus, do pastor Edir Macedo, dono da TV Record — que começaram a proliferar no Brasil na década de 80, especialmente entre as classes D e E, têm no rigor dos costumes uma de suas premissas. Do tamanho do cabelo ao comprimento das saias das fiéis, tudo é regulado. Bebidas, festas e telenovelas ofensivas à moral são banidas. A modernização, a crítica social e a liberação sexual são rejeitadas. Mas a reação ao excesso de sexo na televisão não vem só da classe média, dos conservadores ou dos "crentes". A sexóloga Martha Suplicy foi uma das primeiras a abordar diretamente o assunto na televisão. Política de esquerda ao mesmo tempo que representante da elite econômica do país, Martha está à frente de uma campanha pela regulação desses excessos, coordenando o grupo Tver, que reúne intelectuais interessados no assunto. "É uma discussão que não pretende avançar na linha moralista, mas determinar uma linha ética e aprofundar a reflexão no Brasil", explica ela, que se disse impressionada com a quantidade de cartas e e-mails que recebeu depois que deu uma entrevista na televisão sobre o assunto. "Não imaginava que houvesse uma indignação tão grande."[46]

Nas castas novelas mexicanas, o sexo é tabu, mas proliferam filhos bastardos e renegados. Vêem-se raramente alguns beijos, mas a sensualidade da *caliente* e dengosa Thalia explode nas telas. Nas brasileiras, é possível acompanhar as transformações das famílias liberais de classe média alta. Os chamados "temas modernizantes" são, em geral, tópicos que não podiam antigamente ser discutidos em público. Assim, dos beijos passa-se quase que automaticamente ao sexo, mostrado em detalhes, pouco importa o horário de exibição. O nu, tanto masculino quanto feminino, é banalizado, assim como as traições, infidelidades, estupros e troca-troca de casais. Tudo é exibido, tudo é mostrado, como se fosse o comportamento natural dessa sociedade. É aí que o espelho racha, como sublinha Muniz Sodré:

> Os roteiros incorporam, progressivamente, temas como liberdade sexual, descasamento, juvenilização dos velhos e outros compatíveis com o crivo jornalístico da televisão. Ajudam a moldar a imagem modernizante do mercado, a criar a ilusão de que tudo muda na direção de um progresso organizado pelo mundo empresarial.[47]

Para autores que vêm desde os primórdios da telenovela no Brasil, como Lauro César Muniz, não se trata apenas de conquistar alguns pontos a mais no Ibope exibindo corpos nus ou cenas ardentes de sexo. Desde o primeiro beijo de novela, protagonizado por Walter Foster e Vida Alves em *Sua vida me pertence*, em 1951, até o erotismo declarado dos dias de hoje, "a temática das telenovelas foi se enriquecendo, se aproximando da realidade, o sexo foi aflorando, se revelando", acredita Muniz.[48]

> Na década de 70, a reboque das transformações liberalizantes do mundo, a telenovela brasileira atingiu seu período dourado: a emancipação feminina, a instituição do casamento, o divórcio, racismo e até homossexualismo passaram a ser abordados por autores preocupados em aproximar a ficção da realidade. Mas ainda assim, sob o forte policiamento da censura oficial (forte aparelho da ditadura), a libido do telespectador continuava vigiada. ... Não seria exagero dizer que o Brasil aprendia na telenovela a discutir e rever seu comportamento.[49]

Mas a questão é: essa modernização é acessível para a maioria? O vertiginoso crescimento do mercado nas classes D e E fará com que esses ex-excluídos, novos consumidores que não contavam nem como números no ibope no passado, daqui para a frente influenciem os rumos da programação, mudando de canal quando os valores morais exibidos se choquem com os seus, ou em busca de uma cena em que seu rosto apareça na tela, mesmo que de forma sensacionalista, como num programa como *Ratinho*. O universalismo do padrão Globo de qualidade cederá lugar a vários padrões, alguns beirando o arcaico, o grotesco e o melodramático.

A invasão do mercado brasileiro pelas novelas mexicanas acabaria influenciando a própria dramaturgia nacional. Em *Fascinação*, que estreou em maio de 1998, o SBT apostou num elenco praticamente desconhecido e numa história romântica e lacrimogênea. Cinderela deu as caras de novo, com o nome de Ana Clara, uma moça pobre que se apaixona por Carlos Eduardo. Quando ela engravida, a mãe do rapaz arma um plano para separar os dois. Expulsa de casa, vai trabalhar como garçonete num bordel, no melhor estilo Gata Borralheira. Em novelas assim, o bom é bom e o mau é mau. Categorias que, desde *Beto Rockfeller*, exibida em 1968, vêm sendo embaralhadas nas telenovelas brasileiras. A esperança e o consolo das classes populares — oferecidos pela previsibilidade da estrutura melodramática —, o fato de que os bons sempre vencem e os maus morrem no fim, passou a dar lugar a uma ácida crítica social. Mas nem todos entendem ou concordam com este ceticismo, temendo que funcione menos como reflexão sobre a realidade e mais como influência nefasta. Segundo Renata Pallottini,

> haveria na novela uma inversão dos padrões de moralidade vigentes, a partir de um modelo de conduta burguês. Por isso, o que é desvio poderia ser normatizado, e os bons modelos de conduta passariam a ser considerados desvios: o cidadão bom e honesto passaria a ser considerado tolo, ingênuo.[50]

A tão criticada "mexicanização" mostra que, embora uma boa parte da população tenha modernizado suas expectativas, nível de informação política, análise crítica e até senso estético acompanhando as telenovelas, outra grande parte prefere desfrutar de um produto mais simples, ou porque esteve por muito tempo excluída deste processo modernizante, e não consegue captar sua crescente complexificação, ou ainda porque seus valores morais são diferentes dos da elite de Zona Sul do Rio de Janeiro. Alçados momentaneamente à condição de consumidores, são mais sobreviventes do que cidadãos. Mas contam preciosos pontos no ibope.

El Amor Tiene Cara de Mujer

María, María Bonita, María Celeste, María del Sol, María de los Angeles, María de Nadie, María Isabel, María José, María la del barrio, Maríamor, María María, María Mercedes, Marielena, Marimar, Marisela, Marisol, Simplesmente María. Dos cerca de 200 títulos que constam dos arquivos do site *Telenovelas en el mundo,* mais de 10% contam a história de uma María ou Maria, em espanhol ou português. E, numa porcentagem maior ainda de novelas, as protagonistas foram batizadas com este nome. Mas quem seria essa tal Maria de que tanto se fala?

Consumidora preferencial dos folhetins água com-açúcar, a mulher também é a principal audiência das telenovelas. Parece que *El amor tiene cara de mujer,* como diz o título de uma novela cubana de Nenê Castelar, adaptada no Brasil em 1966 e na Argentina em 1994. As fantasias produzidas pela cultura de massa para as mulheres são basicamente de natureza romântica. "Como o folhetim, a televisão repete uma estrutura, um esquema de personagens, um conjunto pequeno de tipos psicológicos e morais, um sistema de peripécias e até uma ordem de peripécias", comenta Beatriz Sarlo, oferecendo uma pista para a identificação do público feminino com o gênero: uma espécie de gratificação simbólica produzida pelo encontro diário com o ideal romântico.[1]

> Deleitar-se com a repetição de estruturas conhecidas é prazeroso e bastante tranqüilizador. Trata-se de um deleite perfeitamente legítimo tanto para as culturas populares quanto para os costumes das elites letradas. A repetição é uma máquina de produzir uma suave felicidade, na qual a desordem semântica, ideológica ou experencial do

mundo encontra um reordenamento final e remansos de restauração parcial da ordem.[2]

Hoje, talvez mais do que nunca, sabe-se que todas as histórias de amor são parecidas. Em todas elas, há um obstáculo a ser ultrapassado, como em Abelardo e Heloísa. Em muitas, um amor impossível, impedido pelo ódio de duas famílias (a parte histórica de *A indomada* ou de *Renascer*, ou ainda a trama contemporânea de *Meu bem querer*). Em outras tantas, um triângulo amoroso digno de Tristão e Isolda (*Pecado capital* é um exemplo clássico). Também não costuma faltar a boa e velha história de Cinderela — e nisso as mexicanas são desavergonhadamente imbatíveis.

Mas, se as histórias de amor são as mesmas, pode-se dizer o mesmo de suas protagonistas? As Marias sem sobrenome das telenovelas representariam sempre a mesma Maria? O mesmo ideal de Mulher?

Para abordar a questão, será preciso usar um conceito de gênero que não esteja preso à diferença sexual a ponto de se confundir com ela, revelando-se também como um efeito da linguagem e do imaginário. A partir daí, pode-se falar numa "tecnologia de gênero", conceito firmado por Teresa de Lauretis em relação ao cinema, mas que se adapta perfeitamente às telenovelas latino-americanas.[3]

Assim como Foucault vê a sexualidade como uma tecnologia sexual, Lauretis sugere que o gênero, como representação e auto-representação, é produto de diferentes tecnologias sociais, como o cinema e — podemos deduzir — as novelas. Esse sujeito feminino não seria "engendrado" exclusivamente pela diferença sexual, mas também por códigos lingüísticos e representações culturais, que são afetados de forma cruzada por questões de classe e raça, por exemplo. Como a sexualidade, o gênero não seria uma propriedade de corpos nem algo existente a priori nos seres humanos, mas, repetindo as palavras de Foucault ao definir a sexualidade, "o conjunto de efeitos produzidos em corpos, comportamentos e relações sociais" por meio de uma "complexa tecnologia política".[4]

Tradicionalmente, as heroínas das telenovelas obedecem à lógica individualista de Cinderela, em que a transgressão não consiste na oposição à exploração legitimada de uma classe, mas em transpor os limites do próprio grupo. A ascensão social é o tema principal das histórias de amor a que assistimos diariamente. A lógica de Cinderela é a própria ideologia da publicidade, por natureza desterritorializada, interessada na dissolução das fronteiras culturais pela formação de um "público" capaz de compartilhar um mesmo conjunto transnacional de códigos, ícones e mitos. Desde o início, a propaganda, o marketing e os espaços publicitários não se apresentam como contingenciais, e sim parte fundamental da mensagem da telenovela.

A implantação de uma ordem global e capitalista implica não só a construção de um espaço mundializado para a circulação de mercadorias, como também estratégias para a reconfiguração de subjetividades. As alterações dos papéis reservados a homens e mulheres na ficção televisiva ao longo do tempo são inegáveis. Dos tempos em que as relações sexuais entre duas pessoas não-casadas provocavam escândalo, tendo que ser disfarçadas, até a explícita exibição de casais gays e de lésbicas, passaram-se pelo menos duas décadas.

No entanto, os meios de comunicação insistem em exibir imagens tradicionais e bastante estereotipadas do sexo feminino, quase inverossímeis se comparadas à realidade das mulheres de países como México e Brasil. As heroínas das novelas costumam seguir o modelo conservador: com raras exceções não estudam e, muito menos, trabalham. Quando o fazem, é por absoluta incompetência do marido ou pai. Nas classes média e alta, as atividades remuneradas variam de modelos a empresárias do ramo de moda, perfumaria ou decoração, atividades "femininas por natureza", como no passado foram o magistério ou a enfermagem. Pode-se argumentar que esta é uma herança do folhetim, em que ninguém parece fazer mais nada na vida a não ser viver para o amor. Mas esta não é uma verdade para o sexo masculino, que está sempre se despedindo em direção ao escritório.

O ideal feminino proposto pela mídia também contrasta enormemente com a realidade das mulheres das classes populares nesses dois países. Mulheres brancas, altas, magras, de traços europeizados estão longe de ser a maioria das transeuntes nas ruas brasileiras ou *calles* mexicanas. O caso mais exemplar de como os padrões de beleza veiculados pelas novelas podem chegar às raias do inatingível para a mulher comum é o de Thalia Ariadna. As revistas de fofoca juram que a estrela mexicana da trilogia *Marimar, Maria Mercedes* e *Maria do Bairro* teria feito uma operação para tirar duas costelas e ficar com aquela cinturinha de Barbie. Mesmo que não seja verdade, a versão é melhor do que o fato para ilustrar como a telespectadora intui a quase impossibilidade de se atingir tal padrão de beleza.

Mas é preciso pensar que espécie de influência poderiam ter os papéis reservados às Marias nas telenovelas na legitimação da exploração de um gênero que, apesar de todos os avanços, permanece em flagrante desigualdade, especialmente no Terceiro Mundo. Nessa relação assimétrica, as mulheres latino-americanas poderiam ser vistas como vítimas de uma exploração que se manifesta em diferentes níveis: como parte do Terceiro Mundo, como parte de uma classe social e como gênero feminino. Em resumo, o Terceiro Mundo dentro do Terceiro Mundo. No entanto, é fundamental relativizar esse conceito de vítima se quisermos entender por que as mulheres investem e continuam a se enxergar neste espelho, mesmo que distorcido.

Sem dúvida, as telenovelas desempenham um papel ativo, por sua função no processo de socialização, na legitimização de uma subordinação feminina à estrutura econômica e à hierarquia sexual, já que o papel das mulheres nas sociedades brasileiras e mexicanas é produto de uma construção social aceita e internalizada.

Se é verdade que os valores e temas dominantes na produção cultural voltada para as mulheres primam por reforçar, até hoje, estereótipos de gênero baseados no exercício de papéis tradicionais femininos (o de mãe, mulher e dona-de-casa), crer na eficácia total desse discurso seria como regressar à superada hipótese da onipotência da mídia, e ignorar a capacidade de resposta dos telespectadores. Na verdade, os meios de comunicação de massa funcionam mais como mediadores entre conflitos e contradições presentes na própria sociedade, entre o ideal e o real.

Não é a mídia que cria, embora reproduza, legitime e dissemine, situações caracterizadas pela subordinação feminina na sociedade patriarcal. Mas, se o discurso das telenovelas é tão misógino e se seus modelos estão tão distantes da realidade da mulher latino-americana, por que ela continua a investir nele, ao mesmo tempo em que se afasta cada vez mais de suas propostas, avançando no mercado de trabalho e nas universidades?

Estudos como os de Mattelart — baseados na idéia de comunicação como um processo complexo de interação em que o público aceita, mas também recria, modifica e dá novos significados às mensagens transmitidas — reconceitualizaram a visão anterior do público como vítima da mídia, especialmente as classes populares e, mais fortemente ainda, as mulheres. É preciso analisar esta interação para compreender os *links* estabelecidos entre a mídia e o universo cultural e social de sua audiência.

Através da pesquisa *A mulher retratada pela* TV, realizada no Brasil em fevereiro de 1999 pelo instituto paulista CPM-Market Research, é possível perceber como se processa essa mediação. A pesquisa teve uma parte quantitativa, ouvindo 253 mulheres paulistas entre 15 e 54 anos, apenas das classes A, B e C, e outra qualitativa, com discussões em três grupos com 10 entrevistadas de diferentes perfis socioeconômicos. Das entrevistadas, 51% disseram ter diminuído o hábito de ver TV nos três anos anteriores, assistindo a uma média de dois capítulos por semana. Os números batem com outros do Ibope, que apontam para uma queda de oito pontos na audiência das donas de casa em São Paulo e dez no Rio, num período de sete anos. Nota-se uma relação entre essa queda de audiência e o número crescente de mulheres ingressando no mercado de trabalho. Mas o que chama atenção na pesquisa é a postura crítica das mulheres brasileiras em relação à TV. "Elas não se identificam com o modelo feminino que lhes é apresentado", resume a responsável pela pesquisa, Oriana Monarca White. Nada menos que 79% das entrevistadas afirmaram que a programação da TV transmite uma imagem de mulher que não é a verdadeira, 76% acham que essa programação não atende de forma adequada às necessidades da mulher e 88% acham que ela erotiza as meninas. A exibição da mulher como objeto sexual foi apontada como um dos principais pontos negativos da TV.[5]

Sem minimizar a importância óbvia do transmissor e da mensagem, ou seu poder na construção de identidades sociais, percebe-se que a audiência tem a capacidade de aceitar, criticar e, principalmente, reelaborar as mensagens para ajustá-las à sua própria realidade, interesses específicos e necessidades. Isso também implica observar o contexto sociocultural em que a recepção é feita e as modificações históricas desse contexto.

Fatores como cultura, educação, nível econômico, status social e, certamente, nacionalidade podem influenciar essa recepção. Para isso, pode ser bastante útil comparar uma versão brasileira de Maria (Maria Eduarda, da novela *Por amor*, que foi ao ar entre 1997 e 1998) com a mexicana composta por três Marías (la del barrio, Mercedes e Marimar, originalmente exibidas em 1992, 1994 e 1996, mas lançadas no Brasil no ano de 1997) e uma María Inés (*Mirada de mujer*, exibida no México em 1998 e no Brasil no ano 2000).

María Maria

A trilogia mexicana exibida no Brasil com os títulos de *Maria do Bairro*, *Maria Mercedes* e *Marimar* repete o esquema do melodrama clássico, água-com-açúcar, com sua visão ingênua de amor e maniqueísta de mundo. As emoções primárias de paixão, ambição e culpa são elementos reciclados nas três histórias estreladas por Thalia Ariadna, o protótipo da Cinderela de telenovela.

Resumindo: em *Maria do Bairro*, Maria é uma pobretona adotada por uma família rica. Apaixona-se pelo esnobe Luís Fernando e, depois de muito sofrer e aprender a se comportar em sociedade, acaba conquistando-o. Mas, quando Luís Fernando a pega de surpresa abraçada a outro homem (seu irmão Vladimir), tem um ataque de ciúmes. Como não acredita que o bebê que Maria espera é dele, assim que dá à luz, a moça entra em crise e entrega a criança para uma desconhecida. Luís Fernando a retira de um asilo de loucos e Maria volta a viver sua vida de milionária, sem perder a esperança de encontrar novamente o filho.

Em *Maria Mercedes*, Thalia também faz o papel de uma pobre e inocente moça. A Maria em questão sustenta a família, desfeita pelas bebedeiras do pai e o abandono da mãe, vendendo bilhetes de loteria. Um dia, a sorte bate à sua porta. Ou melhor, ela passa em frente à mansão de Santiago, um milionário à beira da morte, justamente quando ele pensava em como fazer para não deixar sua fortuna para a única herdeira, a terrível cunhada Malvina. A vida de Maria Mercedes vira um turbilhão: seguem-se uma proposta, um casamento, um testamento e a vingança de Malvina. Para piorar, ela é mãe do playboy Jorge Luís, por quem logicamente a moça vai se apaixonar.

Marimar é outra versão da mesma história. Thalia é novamente uma pobre e inocente mocinha que vive numa choupana na praia com seus avós. Como eles são muito pobres, Marimar às vezes tem que roubar para que os velhinhos tenham o que comer. Um dia, ela vai à Hacienda Ibañez para roubar verduras e ovos, quando o capataz da fazenda a descobre e decide se aproveitar dela, dizendo que pode levar a comida se lhe der um beijo. Marimar resiste e seus gritos são ouvidos por Sérgio, o filho bastardo da casa grande. Sérgio a protege e diz que, apesar de andar maltrapilha, ela é linda. Marimar se enamora no mesmo instante, sem saber que Sergio pretende usá-la para se vingar da família, que não quer dar sua parte na herança. Casando-se com "a mendiga da praia", ele vai humilhá-los. Mas nenhum dos dois sabe que o pai de Marimar, um homem muito rico que abandonou sua mãe, a procura loucamente para que seja sua única herdeira.[6]

Em comparação com a Maria Eduarda de *Por amor*, as três Marias acima saíram de algum folhetim do século passado. Pelo menos aparentemente, elas são muito diferentes. Maria Eduarda não é nenhuma Cinderela, mas uma patricinha, filha de classe média alta da Zona Sul do Rio de Janeiro, que se veste na última moda, usa jóias, maquiagem e penteado discretos. Já Maria do Bairro/Maria Mercedes/Marimar são cafonas, cheias de cachinhos, com cabelos até a cintura. Quando fazem o *upgrade* para a classe alta, acordam literalmente de salto alto, cabelos presos e maquiadas, prontas para ir a uma festa. Os figurinos não seguem nenhuma moda definida, mais interessados em marcar o "antes" e o "depois", e as diferenças de classe. As moças pobres se vestem em frangalhos, como a Gata Borralheira. As ricas variam entre o bufante estilo dama-de-honra e o tailleur básico. As vilãs usam decotes até o umbigo. O colorido lembra o dos primeiros tempos da televisão brasileira, explorando os tons berrantes.

Por amor conta a história de duas mulheres, mãe e filha na novela assim como na "vida real". Helena (Regina Duarte) é uma mulher liberada, divorciada, dona de uma loja de decoração. Maria Eduarda (Gabriela Duarte), uma jovem mimada, alienada, tão certinha que chega a ser enjoada. Logo no início da novela, Eduarda deixa os planos de estudar no exterior para se casar com Marcelo. Durante uma viagem, Helena conhece Atílio, com quem vive uma paixão madura e também se casará. Mãe e filha ficam grávidas e dão à luz no mesmo dia. Eduarda perde o bebê e jamais poderá ter outro filho. Helena, sem que ela saiba, dá seu próprio filho para a primogênita.

Ao contrário de Maria do Bairro/Maria Mercedes/Marimar, Maria Eduarda não vai saltar vários degraus da escala social ao se casar com Marcelo, filho de um rico empreiteiro. Não terá que aprender a se comportar, maquiar, vestir, conversar. Filha de classe média alta, "viajada", "educada nos melhores colégios", nunca foi uma Gata Borralheira.

Marias muito diferentes? Certamente. No entanto, verifica-se o mesmo apelo a formas tradicionais de gênero e a persistência da visão da mulher no espaço comunicativo submetida a modelos fortemente sentimentalizados. As semelhanças e diferenças entre as heroínas brasileira e mexicana indicam na mesma medida o que muda e o que permanece inalterado nesta visão.

No que se refere às mulheres, três mitos que são fundamentais: o da maternidade, o do amor romântico e o da passividade erótica feminina. A eficácia desses mitos se deve à sua naturalização como inerentes a uma *essência* feminina. Sob a base do mesmo relato repetido diariamente, produzem-se exaltações, denegações e polarizações, como, por exemplo, entre mulheres puras e impudicas.

Maria Eduarda, assim como as Marías de Thalia Ariadna, carrega sua virgindade como um trunfo. A mensagem é a mesma, mas para audiências diferentes. A "inocência" de uma mocinha como María Mercedes nunca esteve em questão, o que denota a moral mais conservadora dos mexicanos em relação ao sexo, ou melhor, ao sexo praticado pelas mulheres. Já no caso de Maria Eduarda, a virgindade é várias vezes proclamada como uma escolha durante seu chá de panela e mesmo durante a noite de núpcias, mostrada em detalhes no mínimo insinuantes.

Escolha estranha essa de Maria Eduarda. Assim como *Por amor* mistura referências reais e fictícias ao colocar mãe e filha representando os papéis de mãe e filha, é possível estender a filiação de Maria Eduarda mais longe ainda. Helena, mãe zelosa ao mesmo tempo que mulher independente, divorciada, livre para o amor, é muito parecida com outra personagem marcante na carreira da ex-"namoradinha do Brasil", Regina Duarte. Helena pode ser vista como uma versão diluída de outra Maria, a Maria Lúcia Fonseca do seriado *Malu mulher*, obra de cunho feminista que consagrou a atriz, que em 1979 exibiu pela primeira vez na TV as aventuras e desventuras de uma desquitada. Quem poderia supor que, anos depois de fazer a cabeça de uma geração, num surto de pós-feminismo, uma filha de Malu Mulher fosse proclamar sua virgindade, em vez de aproveitar a liberdade conquistada por mulheres como sua mãe para dormir com o namorado em casa? Seria um contra-ataque conservador, como os apontados nos meios de comunicação de massa americanos por Susan Faludi em *Backlash*?[7]

Mesmo em *Mirada de mujer* — que mudou as bases da tradicional novela mexicana, abandonando o mito da Cinderela e enfrentando o tão propalado machismo latino-americano — verifica-se que o mito da nova mulher, um dos temas modernizantes preferidos pelas telenovelas, esbarra num limite. As Marias podem até experimentar seu novo poder e sua nova liberdade, mas devem saber que serão punidas, ou com a solidão ou com a morte. Num caso raro de final infeliz em telenovelas, escolhido na última hora entre três já gravados, María Inés decide abandonar o amante 20 anos mais jovem. E sua melhor amiga Paulina paga um preço alto pela liberdade sexual: é contaminada com o vírus da Aids.

A guinada para a direita numa história que prometia abrir espaço na tela para mulheres que não se enquadram no protótipo da "pobre mocinha que encontra um marido rico" não aconteceu sem conflitos. Grupos femininistas mexicanos denunciaram que *Mirada de mujer* não refletia outra coisa senão a "*mirada de un hombre*". As atrizes principais, Angélica Aragón (María Inés) e Margarita Gralia (Paulina), se rebelaram publicamente. "Não devemos permitir que uma telenovela, que afinal é escrita por um homem, nos confunda. A Paulina que todos queremos não é promíscua, só defende seus direitos. O que é válido para um homem é também para uma mulher", afirmou Margarita numa entrevista. Angélica Aragón também reagiu: "Esta telenovela terminou com finais irreais, rebuscados e impostos." Até com a própria mulher (a atriz Judy Henríquez, que interpretou o papel principal na versão colombiana original) o autor teve problemas, pelo jeito. "Entendi que Angélica não ficou satisfeita com o final, mas tanto ela como minha esposa aceitam que a decisão deve ser do autor", afirmou Bernardo Romero, denotando um certo ranço patriarcal. "Por sorte, aqui no México poucas pessoas sabem quem sou eu. Se não me veria louco de tanto reclamarem deste final", reconhece.[8]

Os bem-amados

Nas telenovelas, os homens geralmente aparecem como o sexo frágil: cegos, manipuláveis, passivos. Em duas das três Marias mexicanas, eles são retratados assim. O Luís Fernando de *Maria do Bairro* é um joguete nas mãos de Soraya, a amante. O Luís Felipe de *Maria Mercedes,* um fantoche da mãe, Malvina. Na terceira novela, *Marimar*, Sérgio é um mau-caráter que mais tarde terá a chance de se regenerar ao se espelhar na pureza da mulher.

Em *Por amor*, Marcelo é um executivo que também vive às voltas com as armadilhas da ex-namorada Laura e é totalmente manipulado pela mãe dominadora, Branca. Seu pai, Arnaldo, importante empreiteiro, também é dominado pela personalidade forte da mulher e pelas artimanhas da amante, Isabel. Atílio, marido de Helena, é um arquiteto que passa a novela inteira fazendo charme para a ex-namorada, Isabel, a ex-amante, Branca, e a melhor amiga da mulher, Flávia.

Os personagens masculinos são fracos, mas trata-se de uma fraqueza ilusória. Tanto na novela brasileira quanto nas mexicanas, as mulheres assumem papel subordinado ao universo doméstico, enquanto o sexo masculino exerce a liderança social. Os homens são apresentados como incapazes, presos em seu machismo ou narcisismo, dominados por suas mães, amantes ou esposas. Mas, na verdade, são o centro da vida dessas mulheres. Tudo gira em torno do amor deles, ou do valor que darão a cada uma das damas que os cercam.

Em *Por amor*, em meio a hordas de dondocas, há poucas mulheres que trabalham: Helena é dona de uma loja de decoração, no entanto reproduz o modelo da geração anterior ao criar a filha para o casamento. Flávia é sua sócia promíscua, que sai com homens mais novos, incapaz de manter uma relação estável ou ter filhos, tão sem escrúpulos que rouba o marido da melhor amiga. Isabel é o estereótipo da executiva neurótica, demonstrado numa cena inicial clássica, em que o namorado (Atílio, que logo a abandonará por ser uma mulher "fria") arma uma briga porque ela tem uma calculadora do lado da cama. A mesma calculadora depois servirá de metáfora para que, quando abandonada, Isabel se torne amante do patrão e acabe roubando boa parte de sua fortuna — a que não ficou com a ex-mulher. Outra mulher que trabalha é Lídia, casada com um alcoólatra que nunca pára no emprego, legítima representante das classes populares, dona de um salão de cabelereiro.

O casal Maria Eduarda e Marcelo vive um modelo de casamento pouco distante do de Maria do Bairro ou Maria Mercedes: ela em casa, ele no trabalho. Na separação, descobre-se que aquela menina que foi educada nos melhores colégios e "estudou na Europa" não foi preparada para exercer nenhuma profissão. O mesmo acontece com Milena, a irmã de Marcelo, e Laura, a ex-namorada também milionária, quando resolvem fazer alguma coisa que não seja passar o dia inteiro tomando banho de sol. Sua opção é montar uma loja.

Já os homens têm profissões bem definidas: Marcelo é engenheiro, o pai é empreiteiro, Atílio é arquiteto.

La usurpadora

Os bons sempre ganham e os maus sempre perdem. É a regra de ouro das novelas, principalmente no que diz respeito às vilãs. Soraya, a decotada amante de Luís Fernando em *Maria do Bairro,* tentará seduzir até o filho dele com Maria, antes de morrer tragicamente. Mírian, a rival de Maria Mercedes, que mesmo durante o dia se veste de tomara-que-caia preto com luvas compridas rosa, também verá frustrados seus intentos e, como supremo castigo por sua malignidade, terminará sozinha. Laura, depois de quase dobrar o Ibope de *Por amor* nas cenas em que exercita toda a sua irreverência em relação à "legítima esposa" do ex-namorado, morrerá num desastre de helicóptero.

O que todas essas vilãs têm em comum? A atividade sexual, antes de mais nada. São *femmes fatales* que dizem muito sobre as paranóias e ansiedades masculinas. São mulheres destruidoras, agressivas, mercenárias, sexualmente dinâmicas. A dicotomia mulher da vida/mulher privada fica ainda mais clara em novelas que colocam mocinha e vilã no papel de duas gêmeas. Tanto em *Mulheres de areia* (exibida originalmente entre 1973 e 74, ganhou nova versão em 1996) como em *La usurpadora* (exibida no México em 98 e no Brasil no ano seguinte), a complexidade feminina é simplificada por uma divisão entre características aceitáveis — a bondade, o auto-sacrifício, o amor incondicional — e execráveis — a maldade, a ambição e a sexualidade.

O confronto entre a irmã boa Ruth e a irmã má Raquel de *Mulheres de areia*, tanto quanto o embate entra a generosa Paulina e a perversa Paola em *A usurpadora*, será ganho pelas primeiras, que de uma forma ou outra acabam roubando o marido das segundas. Mas se o final é absolutamente previsível, o que mais atrai nessas novelas é a clássica troca de identidades. A boa faz o papel da má e a má se transforma em boa sem que ninguém perceba. Enquanto a virgem e generosa Paulina assume o lugar da irmã na mansão dos Bracho — afastando o cunhado das amantes, cuidando de seus filhos, dando duro para reerguer seus negócios, assistindo sua avó e aturando uma cunhada ciumenta, ao mesmo tempo em que luta com todas as forças para não cair em tentação —, a sensual e ambiciosa Paola se diverte com playboys milionários em iates e hotéis de luxo no exterior.

Essa dicotomia também está presente quando o tema são as personalidades múltiplas de uma mesma mulher, como na história da freira/dançarina de *Alma cigana*, de 1964. Mas se o problema da tripla personalidade da Lara de *Irmãos coragem* foi resolvido satisfatoriamente com uma operação (lobotomia?) em 1970-71, na sua versão de 1995 a solução mágica soou absolutamente ridícula. Hoje, as diferenças entre a tímida e religiosa Lara e a agressiva e exuberante Diana, passando pela ponderada Márcia, teriam que ser necessariamente resolvidas no divã.

O apelo às múltiplas personalidades ou gêmeas absolutamente diferentes tem uma razão de ser: nessas histórias, as contradições internas são expressas numa divisão maniqueísta. "A estética seriada precisa de um sistema de traços simples, cuja condição é o desvanecimento de matizes. O maniqueísmo psicológico e moral baixa o nível de problematicidade e costura as fendas de desestruturação formal e ideológica", explica Beatriz Sarlo, que aponta a construção de um sistema binário de personagens, em que doces mocinhas se contrapõem a vilãs, como fundamental para agilizar e viabilizar economicamente a produção televisiva:

> O sistema binário dos personagens permite construir relatos com a rapidez exigida por produtores que gravam três ou quatro episódios por dia; os atores sabem perfeitamente a que procedimentos devem ater-se, os cenários correspondem a umas poucas tipologias bem identificáveis; os conflitos são entre forças morais e psicológicas cuja

previsibilidade só é interrompida pela complicação da peripécia, que, por um lado, recorre aos tópicos clássicos e, por outro, os atualiza com pacotes de referências imediatas que trazem para a teledramaturgia os assuntos em pauta nos programas noticiosos. Sobre a mesma trama de paixões, codificada há décadas, a nova televisão dos últimos anos aplica a cerzidura de remendos que assinalam a realidade: corrupção política, Aids, excessos sexuais, homossexualidade, negociatas públicas e privadas.[9]

É interessante observar como o adultério feminino é um tabu, poucas vezes visto na TV brasileira, enquanto o masculino é recorrente. O feminino, em telenovelas tão antigas quanto *O bem-amado* (1973) ou tão recentes quanto *Torre de Babel* (1998), recebe punições que vão da morte a flagrantes acompanhados de policiais e câmeras de vídeo, passando por surras públicas. Recheada de inovações ao mostrar uma família negra de classe média alta e um casal gay, a novela *A próxima vítima*, exibida em 1995, no entanto, só reforçou o preconceito no que diz respeito às mulheres. Numa das cenas mais fortes da novela, que girava em torno de assassinatos em série, a vilã Isabela é pega em flagrante pelo marido mantendo relações com um amante. O marido não só a agride como corta seu rosto com uma faca, desfigurando sua beleza para sempre.

O pior é que a cena aconteceu na mesma semana em que os jornais e a própria TV Globo mostraram um alarmante crescimento nos registros da violência contra as mulheres, com um aumento no número de espancamentos de quase 20%. Enquanto a agressão e até a morte da mulher adúltera é justificada — "Não precisa explicar, Isabela merecia", diz uma personagem —, o adultério masculino, virtualmente presente em todas as telenovelas, é banalizado. E sempre, como nos casos de Atílio e Helena, Maria Eduarda e Marcelo (os pares românticos de *Por amor*), acaba sendo perdoado.[10] Uma das poucas exceções é justamente Branca, mulher de Arnaldo e mãe de Marcelo, que conta com a indiferença do marido para com seus casos extraconjugais. Mas ela é uma vilã amoral.

Em *Maria do Bairro* e *Maria Mercedes*, a situação não é diferente. Conflitos com amantes estão presentes em duas das três novelas da trilogia. Em oposição à inocência e pureza das Marias, as "outras" serão escancaradamente interesseiras e sensuais, revelando mais do que uma escala de valores em jogo, a própria estrutura psicológica das histórias de Cinderela. Projetando nas vilãs os componentes econômicos e sexuais do mito, o amor das donzelas pode resplandecer em toda sua pureza impossível, sem sombra de ansiedades, como percebeu Mirian Goldenberg:

> A cultura prescreve scripts, papéis sociais que são reforçados positiva ou negativamente. Os que atendem às expectativas sociais são reforçados positivamente, e os que não atendem recebem sanções e acionam todo um sistema de acusações. Dentro da perspectiva interacionista, não existe comportamento desviante em si, sendo o desvio o fruto de um processo interativo entre acusadores e acusados.[11]

O caso de María Inés, de *Mirada de mujer*, mostra uma exceção nesse modelo de completa aceitação do adultério masculino. A traição é o motivo para que ela ponha um fim num casamento de 27 anos e se arrisque a enfrentar o conservadorismo da sociedade pelo amor de um homem "que poderia ser seu filho". É um novo modelo, mas que ainda está longe de ter um final feliz.

É bom frisar que temos aqui apenas uma pequena amostra, concentrada num determinado período de tempo, e apenas nos personagens principais, de produções que variam muito de temática, autor e propostas. Obviamente, a mídia não transmite uma única imagem de mulher, mas um complexo e simultâneo conjunto de imagens contraditórias: virgens e garotas *sexies*, profissionais e donas-de-casa, esposas subordinadas aos maridos e divorciadas emancipadas. Todas essas imagens são capazes de se tornar paradigmas da feminilidade, segundo Tania Modleski:

> A cultura de massa não apenas contém contradições, ela funciona de uma forma altamente contraditória: embora pareça ser meramente escapista, tal arte simultaneamente muda e reafirma valores tradicionais, comportamentos e atitudes.[12]

A questão é: como, e em que ritmo, as alterações dos scripts determinados para o sexo feminino estão sendo acompanhadas pelas mulheres reais nas últimas décadas? Ou, pode-se perguntar ainda: de que forma os novos papéis assumidos pelas mulheres reais vêm sendo incorporados aos scripts de telenovelas? Para Goldenberg, "as subjetividades individuais incorporam ideais modernos (visíveis) sem eliminar os arcaicos, que permanecem invisíveis dentro do sujeito".[13] Nesse sujeito feminino engendrado por múltiplas vozes, o descompasso entre aspectos visíveis e invisíveis levaria à coexistência de ideais e normas de conduta contraditórios. A convivência desse ideal arcaico, num plano inconsciente, com o ideal moderno, no plano consciente, pode funcionar para as mulheres tanto como um estímulo para a reconfiguração de modelos gastos e falidos como uma anomia, uma angustiante desorientação social.

As Relações Perigosas

Sentimental, sedutora, alienada, inculta. Os mesmos adjetivos que durante séculos serviram para definir o feminino podem ser aplicados à telenovela. Num ensaio justamente intitulado "A cultura de massa como mulher: o outro do modernismo", Andreas Huyssen assinala a relação entre o fato de o público feminino ser o principal consumidor da cultura de massa e a desqualificação dessa cultura como um todo desde os primórdios do modernismo. "É incrível, realmente, observar como o discurso político, psicológico e estético da virada do século consistente e obsessivamente representa a cultura de massa e as massas como femininas, enquanto a alta cultura, seja tradicional ou moderna, permanece claramente como terreno privilegiado das atividades masculinas", comenta.[1]

Tania Modleski chega a conclusões semelhantes sobre como estereótipos de gênero são usados para avaliar a cultura de massa de forma negativa em relação à cultura erudita. Assim, elabora um conjunto de oposições que identifica a cultura popular com passividade, emoção e consumo, por um lado, e a cultura erudita com atividade, intelecto e produção, por outro. Para Modleski, da mesma forma que os críticos temem que a cultura de massa torne o público passivo, imbecil e consumista, temem também que o público torne-se feminino.[2]

No centro deste debate está o que Huyssen chama de Grande Divisor, "o grande muro entre a arte moderna e a cultura de massa, que os movimentos artísticos dos anos 60 intencionalmente começaram a desmantelar em sua crítica ao cânon do alto modernismo".[3] Não seria coincidência, e Huyssen já aponta isso, que o pós-modernismo se proponha a embaralhar alta cultura e cultura de massa justamente num momento em que as fronteiras de gênero entre o público e o privado começam a cair por terra.

Assim como as características femininas são definidas por uma lógica patriarcal, a cultura de massa é conceitualizada a partir de uma lógica de exclusão. "A cultura popular é uma categoria erudita", resume Roger Chartier, numa afirmação que diz respeito tanto à cultura popular enquanto folclore como à cultura de massa. Chartier ainda questiona a tese de que a *cultural bifurcation* tenha sido fruto da sociedade industrial, encontrando exemplos de bifurcação entre cultura erudita e cultura popular em vários momentos nos séculos 12, 16, 17 e 18, muito antes da criação de uma indústria cultural pelos meios de comunicação de massa:

> Uma dupla evolução leva da cultura pública compartilhada à cultura bifurcada: de um lado, um processo de retraimento e de subtração que atribui às práticas culturais um valor distintivo tanto mais forte quanto menos elas são compartilhadas; de outro lado, um processo de desqualificação e de exclusão que lança para fora da cultura consagrada e canônica as obras, os objetos, as formas daí em diante relegadas ao divertimento popular.[4]

Embora seja relativamente fácil imaginar os benefícios dessa situação para as elites intelectuais, é preciso um esforço maior para entender que os veículos de comunicação de massa também tenham interesse nessa degradação. "O resultado foi uma espécie de loteamento cultural", aponta Neal Grabler. "As elites retiveram o controle da alta cultura sem ter de se defender dos hereges ou preocupar-se com seu aperfeiçoamento, e os hereges puderam promover e controlar o entretenimento de massa, mesmo sob a censura desdenhosas das elites."[5] Assim, firmou-se uma visão tradicionalmente negativa de gêneros populares (como o folhetim e a telenovela) sem levar em contra seu caráter democrático. "Embora isso não ocorra em todas as suas versões, é evidente que a teoria da cultura de massa acolhe a idéia de que a democracia e a educação tiveram progressos perniciosos, pois ambas colaboraram para a constituição patológica da sociedade de massa", comenta Dominic Strinati. "A democracia assegura que cada pessoa está habilitada a exercer a plena cidadania política, mas também que as preferências culturais de cada um são tão valiosas e merecedoras de respeito como as das elites."[6]

O problema seria a "falta de gosto" popular. Gosto que oscilaria entre o grotesco, de programas como *Ratinho*, ao melodramático, como as novelas mexicanas e todo seu esplendor kitsch. Nessa ansiedade contra o "nivelamento por baixo" promovido pelos meios de comunicação de massa, o temor tipicamente europeu de uma "americanização" da cultura pode ser comparado ao medo de uma "mexicanização" das novelas brasileiras: um sinônimo de rebaixamento estético.

Aqui é preciso evitar o pessimismo cultural — que "acaba convertendo em qualidade dos meios o que não é senão um modo de uso histórico" —, algo que, como adverte Martín-Barbero, só "serve para inocular a impotência".[7] Mas também é preciso ter cuidado com o populismo cultural, que da crítica passa à incapacidade de julgar, com base na idéia de que gosto não se discute. Para Beatriz Sarlo,

> a emergência de uma moda intelectual — que começou há alguns anos a interessar-se pelo kitsch no rádio e nas telenovelas e terminou por consumi-lo — não basta para responder de modo convincente às condenações à cultura de massa, que a demonizaram muitas vezes sem conhecê-la bem. Ao elitismo das posições mais críticas não deveria opor-se uma inversão simétrica sob a forma de um neopopulismo seduzido pelos encantos da indústria cultural.[8]

Martín-Barbero vê nos fundamentos da Escola de Frankfurt um "aristocratismo cultural que se nega a aceitar a existência de uma pluralidade de experiências estéticas, uma pluralidade dos modos de fazer e usar socialmente a arte", a ponto de Adorno dizer que é preciso demolir o conceito de prazer artístico.[9] Certamente, a possibilidade de usufruir deste prazer, passando por cima de restrições morais ou estéticas, está na base da atratividade dos programas populares, como as telenovelas. Mas a idéia de democracia estético-cultural também não deve ser desculpa para negar as diferenças de qualidade entre uma obra de arte e o lixo cultural, ou mesmo entre uma novela e outra. A questão é que nem sempre a qualidade artística está onde se espera. Segundo Huyssen,

> reduzir toda a crítica cultural ao problema da qualidade é sintoma de uma ansiedade contra a contaminação. Nem toda obra de arte que não se conforma às noções canonizadas de qualidade é automaticamente uma peça kitsch, e o trabalho de transformar kitsch em arte sem dúvida resulta em obras de alta qualidade.[10]

A pós-modernidade absorverá o kitsch não mais como símbolo de diferenciação social, mas de ironia em relação aos padrões clássicos de bom gosto. Objetos originalmente de vanguarda viram kitsch e originalmente kitsch viram cult. Onde termina o kitsch e começa a arte? Onde termina a arte e começa o mercado? São questões cada vez mais difíceis de se responder. Num mundo que já desistiu de valores e verdades universais, é cada vez mais complicado separar o belo do feio, o mau gosto do bom gosto.

Em seu sentido atual, a palavra kitsch começa a ser usada por volta de 1860, na Alemanha. Sua conotação é pejorativa. Se *kitschen* quer dizer atravancar, *verkitschen* é sinônimo de trapacear, vender alguma coisa em lugar do originalmente combinado. Por trás disso tudo, haveria uma "negação do autêntico".[11] Numa visão positiva, o kitsch estaria historicamente relacionado com a prosperidade, a democratização de bens de consumo, situações sociais marcadas pela opulência. É uma descrição capaz de abarcar desde o contexto histórico que permitiu o aparecimento da literatura cortês no século 12 até o da telenovela, em meados do nosso século, passando pelo do folhetim, no século 19. Ao tentar realizar uma "sociologia do gosto", Jukka Gronow vê uma relação entre a "democratização do luxo" e a proliferação do kitsch como imitação barata dos hábitos das classes dominantes.[12] Novelas mexicanas como *Maria do Bairro*, em que há uma divisão sem intermediários entre pobres e ricos, são exemplos dessa tese tanto quanto novelas brasileiras como *Por amor*, em que os personagens se dividem em ricos (o empreiteiro Arnaldo e sua mulher Branca), novos ricos (os emergentes donos de supermercado na Barra), classe média alta (Helena, dona de loja de decoração), classe média baixa (Lídia, dona de um salão de cabeleireiro) e classe baixa (empregados em geral).

Mesmo depois de receber uma herança, a ex-menina de rua Maria do Bairro acaba tendo sua origem social revelada por sua insegurança quanto às regras de etiqueta. Numa estrutura muito semelhante à dos romances de formação, ela vai deixar de ser um diamante bruto e, depois de gradativamente lapidada, assumirá os gostos da classe dominante. O processo é o mesmo da babá Nice, da novela *Anjo mau*, na tentativa de conquistar o marido, o playboy Rodrigo. Nas duas novelas, elas irão enfrentar a rivalidade das ex-namoradas, ricas de berço, que não perderão uma oportunidade para mostrar a inferioridade social das cinderelas. Como afirma Gronow, "estilo de vida e etiqueta se tornam arenas de competição social e simulação. Os prazeres associados com gosto e comida também se tornam importantes elementos ou pontos neste jogo baseado na competição social".[13]

Essa competição é explicitada também na atitude da sogra aristocrática de Maria do Bairro, que se aferra a um suposto refinamento familiar, cujo único objetivo é manter e acentuar seu prestígio social, além de fazer com que mocinhas pertencentes à classe subalterna sejam facilmente detectáveis. Mesmo quando quer ser fina, Maria do Bairro é apenas kitsch (como kitsch também é a ostentação da sogra falida). A mensagem é que, mais do que financeiro, há um abismo social entre a mocinha pobre e o homem rico. Ou entre pobres e ricos. É uma mensagem de duplo vínculo: de esperança e desencorajamento. Ao mesmo tempo em que é possível escapar individualmente, "por amor", da exclusão social, existe um alto preço a ser pago. A imitação dos padrões da classe dominante consome tempo, energia e dinheiro muito acima das possibilidades da classe trabalhadora. E, ao contrário da Cinderela original, ainda é preciso enfrentar sogras e ex-amantes, representando o terror da elite quanto à abolição dos privilégios.

Esse jogo satisfaz economicamente uma demanda desenvolvimentista, através da aceleração do ciclo de consumo, tanto da classe dominante, à procura de novos elementos de distinção, quanto das classes subalternas, lutando para apagar as marcas dessa diferenciação. Nisso, Maria Eduarda, de *Por amor*, é mais bem-sucedida que Maria do Bairro. A novela mostra como, através do consumo, a classe média alta brasileira tenta, e geralmente consegue, simular as mesmas condições socioculturais da elite.

Bens e serviços de luxo como automóveis, alimentos requintados, turismo externo, roupas de grife, festas nababescas se transformam em sonhos de consumo dos "*status seekers*", alpinistas sociais em sua busca por ascensão.[14] Como adverte Muniz Sodré, a televisão brasileira vem a reboque de um modelo produtivo voltado para a economia urbana e apoiado no consumo de luxo. O objetivo nunca foi produzir ou vender artigos de consumo para todos, mas promovê-los "globalmente" para grupos específicos:

> A estrutura de renda nacional, ao mesmo tempo em que veta às camadas pobres o pleno acesso aos produtos básicos e incita as frações favorecidas ao consumo conspícuo, forma um aparelho produtivo voltado para os bens e serviços de luxo ... Este modelo tem conseqüências radicais, de ordem não só econômica, mas social e cultural. E todas se caracterizam pelo aumento da distância entre os aparelhos do poder e a maioria da população — ou seja, entre dirigente e dirigido, produtor e consumidor, falante e ouvinte.[15]

A viabilidade desse modelo desenvolvimentista, flagrante no Brasil nos anos 50, durante o período Kubitschek, e entre 68 e 72, no auge do milagre brasileiro, é ancorada na expansão da demanda por bens de luxo: sua democratização, através da ampliação do crédito e gradativa liberação das importações, é precedida pela expansão de sua demanda como objeto de desejo, demanda esta pedagogicamente levantada pelas telenovelas junto às camadas médias.

Mas há sérias limitações nesse modelo estritamente hierarquizado, que define o gosto apenas como a adesão a um código de conveniências, etiqueta e simulação de classe. O bom gosto seria natural, ou uma questão de berço ou de educação? Pode-se dizer que o mau gosto seria uma etapa prévia do bom gosto? Algo que se alcançaria acompanhando a vida das celebridades na revista *Caras* ou observando atentamente como se comportam os ricos nas inúmeras festas mostradas pelas telenovelas? Não, desde o início essa é uma pedagogia furada, porque o kitsch contamina a sociedade de alto a baixo. Espécie de primo pobre da aura, seria a própria essência da cultura de massa, na qual estamos todos, absolutamente todos, submersos, como percebeu Martín-Barbero:

> Os críticos da sociedade de massa, tanto os de direita como os de esquerda, estão fora do jogo quando continuam opondo os níveis culturais a partir do velho esquema aristocrático ou populista, que busca a autenticidade na cultura superior ou na cultura popular do passado. Ambas as posições têm sido superadas pela nova realidade cultural da massa que é de uma só vez o uno e o múltiplo.[16]

Também não faz mais sentido falar, como Moles, que o kitsch seria um fenômeno social endêmico da latinidade.[17] Como, se um dos seus maiores exemplos é europeu, o rei Luís II da Baviera, em seu castelo Disney? E os Estados Unidos por acaso não seriam os maiores responsáveis pela globalização dessa estética?

> Tudo isso se insere no âmbito de um sistema que supõe um grau razoável de prosperidade material da sociedade, ou ao menos do meio social que constitui o ponto inicial onde se desenrola a partida. Todavia, é preciso não esquecer que o kitsch exerce seu papel pedagógico de modo crucial sobre as sociedades subdesenvolvidas, submetidas à irrigação dos meios de comunicação de massa, que, na verdade, constituem meios de exploração das sociedades afluentes — Estados Unidos, nova Europa ou Japão —, desempenhando o papel de amplificadores de mercados. Uma determinação quanto à forma de uma geladeira ou ao jogo das cores em um banheiro, tomada nas oficinas de Bendix na Califórnia ou em Nova York, terá repercussão nos confins do mundo, de Kinshasa a Murmansk, ainda que com um atraso na propagação em virtude da rapidez de rotação do ciclo sociocultural.[18]

O kitsch é, antes de tudo, um produto de fácil compreensão e aceitação. Como o amor acabou se tornando um dos mitos mais populares da cultura ocidental, kitsch e romantismo estarão intimamente interligados. A indústria do kitsch se alimenta em boa parte da vulgarização do romantismo e do empréstimo de sentimentalismo aos objetos. Esse ímpeto de fetichização é bem mais do que uma cópia deformada dos símbolos de status da classe dominante. Ele traduz os anseios e registrará as aspirações utópicas de cada época. "O kitsch é a arte da felicidade e qualquer chantagem à felicidade da civilização será também uma chantagem ao kitsch. Aí reside a universalidade do kitsch. Mas poder-se-ia conceber que o ser possa escapar a esta aspiração fundamental?", questiona Moles.[19]

E da ilusão do amor, quem escapa?

Romantismo

"O ingrediente romântico na cultura tem sido responsável por uma parcela crucial do desenvolvimento da sociedade de consumo", assinala Colin Campbell.[20] Para ele, uma "ética romântica" foi tão importante para promover o "espírito do consumismo" quanto uma "ética puritana" foi necessária para desenvolver o espírito do capitalismo. "Em teoria, indivíduos não podem se prender a duas éticas distintas; na prática, isso não parece ser tão difícil", afirma.[21] Campbell chega a falar na existência de uma personalidade "purito-romântica", expert na manipulação do desejo. No "comportamento realmente romântico, há uma tendência para gerar oportunidades para criar desejo, não meramente satisfazê-lo", analisa. "De fato, tanto o prolongamento da demora de gratificação quanto a supressão da emoção trabalham juntas para criar uma rica, poderosa e imaginativa vida interior, o pré-requisito necessário para uma personalidade romântica."[22]

O folhetim e a telenovela, prendendo o público em seus ganchos e próximos capítulos, prometendo um final feliz depois de separar os amantes por uma sucessão de acontecimentos infelizes, conseguem atingir a estrutura psicológica desta personalidade romântica, que não visa a satisfação, mas a repetição do prazer. Daí, talvez, seu poder de atração.

Quando se analisa o obstáculo como uma das bases do amor romântico, chega-se a uma conclusão parecida: a hiperinflação romântica é uma das bases da sociedade de consumo. Para Denis Rougemont, o sexo é uma fome. Mas a paixão que nega tudo o que a possa satisfazer não é uma fome, "mas uma intoxicação."[23] O amor romântico (e, deve-se acrescentar, a ascese provocada pelo obstáculo, tanto faz se na literatura da Idade Média, nos folhetins ou nas telenovelas) não teria como objetivo a liberação dos sentidos, "mas a dolorosa intensificação do sentimento", através de metáforas de sentido religioso. Assim como Tristão e Isolda, seríamos todos vítimas de uma ilusão verbal: a exaltação, em termos divinos, do desejo sexual. "A ciência proclama que a mística resulta de uma sublimação do instinto. Mas pode-se mudar o sentido desta relação, e descrever que o instinto em questão resulta da profanação de uma mística primitiva", acredita Rougemont.[24]

Campbell situa entre os séculos 18 e 19 — com a democratização da leitura, a produção em massa de romances e folhetins e o aburguesamento da vida familiar permitindo o tempo livre e a introversão necessários para a leitura silenciosa — o início de uma verdadeira autonomia imaginativa. Pode-se dizer, no entanto, que este processo vem se produzindo desde o século 12, com o aparecimento das narrativas corteses e a construção do mito do amor romântico, quando se inaugura uma forma extremamente sofisticada de manipulação e controle dos sentimentos.

No século 19, a educação dos sentidos, de que fala Peter Gay em relação aos vitorianos, dá lugar ao desenvolvimento de um complexo mecanismo psíquico para controlar as reações emocionais. "Ao aproximar-se a era da rainha Vitória, sobretudo nas classes médias, a capacidade de auto-controle e sublimação já estava altamente desenvolvida", afirma Gay.[25] O amor romântico permite descobertas de formas mais sofisticadas de prazer do que o sexo. O prazer não será mais dado pelos sentidos, estimulados por objetos, mas pelas emoções, estimuladas pela imaginação.

Uma vez que o ser humano aprende a reprimir seus instintos, cortando o *link* natural entre sentimento e ato, será preciso artificialmente despertar e simular emoções. Máquinas imaginativas, como a televisão, o rádio e o cinema, serão fontes inesgotáveis de experiências emocionais, baseadas em estímulos prazerosos: paixão intensa, terror intenso, capazes de provocar inclusive reações fisiológicas. O oposto do prazer, para Campbell, não é o desprazer, mas a falta de estimulação, o tédio.

O *day dream*, o sonhar acordado, será fruto de uma situação de estimulação insuficiente, mas também o próprio acordar para essa realidade tediosa, na medida em que a pinta em tons cinzentos ao compará-la com uma versão mais perfeita, puramente imaginária. Para Campbell, este processo mental cria um permanente estado de espera por algo melhor. A ilusão, como mostra *Madame Bovary*, logo se tornará um vício, uma droga consumida compulsivamente. Como para qualquer telespectadora contemporânea, nenhum romance será igual ao das novelas, nenhum homem tão belo quanto o galã, nenhuma vida tão cor-de-rosa.

A sociedade de consumo não só vai compreender, como reelaborar esse estado de crescente desilusão oferecendo um consolo: o da novidade. No novo, diariamente reapresentado, o homem, e principalmente a mulher moderna, projetará o seu desejo. O novo será *enovelado*, virará uma novela. Como, com a modernidade, a novidade ganha um valor social de status, de diferenciação, de estar à frente do seu tempo, a repetição seriada apresentará um novo que não é novo. Quanto mais demanda pelo novo, mais tédio: o jornal, a moda, as telenovelas reciclam um repertório diário de velhas novidades.

Consumismo

O consumo de que fala Campbell não visa um objeto particular, mas o que se pode fazer com ele. Consome-se passionalmente, não passivamente. Repetição, manipulação, ilusão, emoção: em que sentido pode-se falar de uma dimensão erótica do consumo, manifesta nessa auto-estimulação? A hiperinflação romântica tende a fazer com que o prazer não venha mais da manipulação sensorial, mas da estimulação direta das emoções. Essa sublimação permitirá o benefício secundário (da repressão) do gozo. E o consumo logo se oferecerá como uma dessas formas de sublimação e prazer, transformando desejos em objetos.

A teoria de consumo de Canclini, embora não parta para psicologizações, também afirma ser necessário ver os processos de consumo como algo mais complexo do que a relação entre manipulação e dóceis audiências ou a disputa pela apropriação de meios de distinção simbólica. Mas, em sua proposta de exercício de cidadania através do consumo, não estaria sendo vítima do espírito de conciliação de que fala Muniz Sodré em *A comunicação do grotesco*?[26] Ou, mais tarde, quando o teórico brasileiro diz:

> As clássicas práticas do sujeito (expressão, emancipação, cidadania) são contraditas por "práticas de objeto" ou de "massa" que, reguladas pelo código da sociedade neoliberal de mercado, acenam com a resignação confortável do consumo. A histórica realização social do homem pela atividade política é trocada pela liberação adulatória e auto-erótica dos desejos.[26]

Paradoxalmente, o caso das mulheres é exemplar tanto da tese do consumo como produtor de cidadania quanto da do consumo como prêmio de consolação para aqueles a quem a atividade política é interditada. A descoberta da mulher como mercado, e sua emancipação como público consumidor, foi muito anterior à autorização do sufrágio feminino. A França, onde a promessa de direitos cívicos foi feita mais cedo graças à Revolução, foi um dos países que mais demoraram a estender esses direitos para as mulheres. Enquanto o primeiro "sufrágio universal" data de 1848, a cidadania política feminina na França só seria viabilizada quase 100 anos depois, em 1944, quando praticamente todos os outros países europeus já tinham autorizado as mulheres a votar.

"Todos os seres humanos nascem livres e iguais em direito e em dignidade", já previa a Declaração dos Direitos do Homem e do

Cidadão. Mas nem todos poderiam tomar parte da vida pública, vedada às mulheres, às crianças, aos estrangeiros e aos que em nada contribuem para o sustento das instituições públicas. "A exclusão das mulheres é particularmente severa, pois, ligada ao sexo, ela não poderia ser modificada, como a idade, a nacionalidade ou o nível de riqueza", comenta Michelle Perrot.[28]

O consumo é um sintoma cultural bastante revelador dessa moral dúbia em relação ao sexo feminino. Se é possível assinalar uma coincidência de datas entre o nascimento do folhetim e os primeiros ecos da Revolução Industrial, é viável fazer o mesmo com relação ao surgimento das telenovelas e à revolução tecnológica. Segundo Campbell, teria cabido ao sexo feminino a transmissão dos valores românticos de uma geração para outra durante os últimos 200 anos (e quem seriam até hoje os principais consumidores das histórias açucaradas senão as mulheres?). Ao sexo masculino, caberia a ética protestante do trabalho e acumulação de capital.

Para a sociedade de consumo, o núcleo familiar é fundamental para dar continuidade a essa cultura híbrida, dividida entre o feijão e o sonho. Nas novelas, em que até hoje a ascensão da heroína pobre se dá pelo casamento, esta dualidade entre o romance, que pertence ao universo feminino, e o trabalho, masculino, é mais do que explicitada.

Mas, cada vez mais dona de seu dinheiro, ou no mínimo responsável pelo "matriarcado orçamentário" do lar, na definição de Perrot, a mulher será o grande alvo da publicidade. Para isso, o sexo feminino precisará ser constantemente seduzido. A publicidade evoluirá de simples anúncios de produtos e promoções para uma arte persuasiva, a verdadeira arte da sociedade de consumo, tornando-se hoje a principal fonte de financiamento e recursos para os sistemas de comunicação. A publicidade realizará a mágica da transformação de desejos em objetos, e de objetos em desejos, dentro desse sistema de induções e satisfações, de acordo com Muniz Sodré:

> Os apetites públicos são simultaneamente criados e atendidos pelo complexo industrial, tornando-se vital para isso o contágio da cons-

ciência consumidora pela força (publicitária) de um "desejo" que se confunde às vezes com o próprio produto. Assim, a publicidade não se limita em discorrer sobre a utilidade ou a funcionalidade de um determinado eletrodoméstico. Ela tem que afetar a consciência do cliente virtual com a idéia de que há no produto *algo além* de seu mero valor de uso, algo imaginário, mas complementar, da ordem da realização do desejo ... Esta relação movida a desejos e fantasias domesticados e que se poderia chamar de "sígnica" ou "comunicacional" é necessária à lógica da comercialização contemporânea.[29]

ciência consumidora pela força publicitária) de um desejo, que se confunde às vezes com o próprio produto. Assim a publicidade não se limita em discorrer sobre a utilidade ou a funcionalidade de um determinado eletrodoméstico. Ela tem que afetar a consciência do cliente virtual com a idéia de que há no produto algo além de seu mero valor de uso, algo imaginário, mas complementar, da ordem da realização do desejo. Esta relação movida a desejos e fantasias domesticados e que se poderia chamar de "sígnica" ou "comunicacional" é necessária à lógica da acumulação contemporânea.

Conclusão

Ao contrário da vida real — em que nem todas as histórias de amor acabam bem —, toda novela tem um final feliz, com noivos sorridentes subindo ao altar. Mas um longo caminho teria que ser percorrido para que o amor, antes isolado como algo relacionado às paixões do corpo e aos mistérios de filtros e sortilégios, passasse a questão central da cultura contemporânea. Basta observar os meios de comunicação de massa, contabilizar as horas de filmes, telenovelas e músicas românticas a que somos submetidos diariamente. Nunca se falou tanto de amor, nem se ousou de tal forma eternizar — talvez fosse melhor dizer canalizar— um sentimento por natureza tão volátil.

Para adquirir valor de cultura, o desejo erótico precisa ser disfarçado, estilizado, provocando uma espécie de sublimação fundamental. Mais do que o controle das pulsões, a função social do mito do amor romântico parece ser sua exaltação. Hiperinflado, o desejo se transformará no motor da sociedade de consumo, passando por cima de convenções sociais, hierarquias familiares, interdições de ordem econômica ou sexual. Máquinas imaginativas, como a televisão, farão a mediação entre esses impulsos não-estruturados da ordem do desejo e os códigos disciplinadores. Serão ao mesmo tempo tecnologias de gênero, civilidade e subjetividade.

O amor está na origem dos discursos que aceitamos, ainda hoje, como descrição de uma natureza feminina e, mais ainda, é um dos principais elementos das formações sociais que produziram o indivíduo moderno. Trata-se de um tipo de amor que não sobrevive sem palavras, sem suas narrativas, em que muitas vezes sonhos de emancipação e ascensão social são misturados a sentimentos de superação da mediocridade cotidiana pela escolha do par perfeito.

Esse amor ainda é o nosso, destinado a ser perpetuamente insatisfeito. O êxtase oferecido pela sociedade de consumo que, muito democraticamente, está ao alcance das massas.

Na América Latina, as novelas românticas se reciclam, há um intercâmbio de modelos, mostrando que, no fundo, pertencem a uma mesma família cultural. O melodrama é tão parte da história em comum deste continente quanto a colonização ibérica, a religiosidade cristã, o patrimonialismo, a escravidão, a convivência de modelos pós-modernos com resíduos arcaicos, e por aí vai. Assim, não é de se estranhar que TV Globo e Televisa, apesar de terem investido em estilos opostos de telenovelas, tenham um passado em comum. Ambas aliaram-se ao poder. Tornaram-se hegemônicas. Tornaram-se impérios. Ganharam o mundo.

Hoje, o encaixe de temas modernizantes nas velhas histórias de moça-pobre-que-se-casa-com-moço-rico pode ser visto tanto como fruto da necessidade de se criar um efeito de real na ficção televisiva quanto uma tentativa de enfeitar com ficção uma realidade adversa. Na primeira hipótese, as telenovelas seriam capazes de refletir novos pactos, mudanças de comportamento, questionamentos da sociedade. Na outra, seriam consideradas remendos que apenas atualizam tramas antigas, inoculando no sangue do telespectador uma certa indiferença a temas conflitivos como corrupção, violência e desigualdade, reajustando o foco sempre que o reflexo do espelho fique distante demais da imagem real. Paradoxalmente, as novelas podem ser tanto uma coisa quanto outra.

Este livro é fundamentalmente ambivalente ao fazer uma análise um tanto quanto pendular sobre as telenovelas latino-americanas. Análise que, se por um lado, aponta como a exaltação do amor romântico é fundamental para a consolidação dos valores transnacionais da sociedade de consumo, por outro evita recair na batida tese da onipotência dos meios, ou dos efeitos danosos da cultura televisiva em relação a uma massa de telespectadores alienados. Nem neomarxista nem neopopulista, ao mesmo tempo em que mostra como a telenovela é hoje o principal produto de exportação cultural da América Latina, chama atenção para o fato de que a criação das grandes corporações midiáticas no Brasil e no México tem sido parte da estratégia de manutenção no poder de oligarquias econômicas e políticas durante décadas. De resto, a conclusão a que se chega é que os melodramas de estrutura mitológico-romântica, como os mexicanos, ou mais realistas, como os brasileiros, mais se aproximam do que se diferenciam. Nas telenovelas latino-americanas, a questão social será tão silenciada quanto obsessivamente repetida.

Notas

Lições de Amor

1. Howard Bloch. *Misoginia medieval e a invenção do amor romântico ocidental*, p.225.
2. Georges Duby. *Heloísa, Isolda e outras damas do século 12*, p.85.
3. Idem.
4. Jurandir Freire Costa. *Sem fraude nem favor*, p.12.
5. Paul Zumthor. Introdução a *Correspondência de Aberlardo e Heloísa*, p.8.
6. Ibid., p.9.
7. Howard Bloch. Op. cit., p.225.
8. Sabine da Costa. *L'histoire du mariage*, p.4.
9. Howard Bloch. Op. cit., p.226.
10. *A correspondência de Abelardo e Heloísa*, p.118.
11. Ibid., p.49.
12. Ibid., p.46.
13. Witold Rybczynski. *Casa: pequena história de uma idéia*, p.41.
14. Georges Duby. Op. cit., p.83.
15. Denis Rougemont. *L'amour et l'Occident*, p.47.
16. Georges Duby. Op. cit., p.87.
17. *Tristão e Isolda*, p.111.
18. Barbara Heliodora. In William Shakespeare: *Romeu e Julieta*, p.8.
19. Masuccio em 1476; Luigi da Porto em 1530; Cliia em 1553; e Luigi Groto em 1578.
20. Peter Brooke apud Barbara Heliodora. Op. cit., p.9.
21. Harold Bloom. *Shakespeare: a invenção do humano*, p.127.
22. André Lázaro. *Amor: do mito ao mercado*, p.136.
23. Jack Zipes. *Breaking the Magic Spell*, p.12.
24. Marian Roalfe Cox. *Three Hundred and Forty Five Variations of Cinderella*, p.1-3.
25. Idem.
26. Denis Rougemont. Op. cit., p.19.
27. Jack Zipes. Op. cit., p.105.

O Amor em Pedaços: A Literatura de Massa

1. "De modo geral, mais do que o direto ao voto, foi o acesso às faculdades que acabou sendo a chave para a causa feminina em fins do século 19", explica Peter Gay em *A educação dos sentidos: a experiência burguesa de Vitória a Freud*, p.138.
2. Philippe Ariès. *História social da criança e da família*, p.189.
3. Gustave Flaubert. *Madame Bovary*, p.50.
4. Machado de Assis. *Dom Casmurro*, p.65.
5. Eça de Queirós. *O primo Basílio*, p.16.
6. Idem.
7. Leon Tolstoi. *Ana Karenina*, p.84.
8. Idem.
9. A primeira convenção feminista data de 1848.
10. A partir de 1860, as escolas primárias e secundárias se espalham por toda a parte na Europa e nos Estados Unidos, segundo Peter Gay. Op. cit., p.135.
11. Idem.
12. O destino reservado a Berthe, filha de Bovary, é quase o de um personagem de Dickens. A mãe se suicida, o pai morre de desgosto, a avó paterna também, logo que a menina vai morar com ela, e o avô materno fica paralítico. Berthe, por fim, vai morar com uma tia que, "como é pobre", manda a menina trabalhar numa tecelagem de algodão. Cf. *Madame Bovary*, p.261.
13. Marlyse Meyer. *As mil faces de um herói canalha*, p.237-321.
14. Ibid., p.245.
15. A abnegada protagonista de *O filho dos operários ou A loucura de mãe*, folhetim de 1876 escrito por Émile Richebourg, citado em *As mil faces de um herói canalha* (apud Marlyse Meyer. Op. cit., 247).
16. Ibid., p.293.
17. Idem.
18. Ibid., p.281.
19. Ibid.
20. Gustave Flaubert. Op. cit., p.124.
21. Em *O filho dos operários*, Pauline é descrita como uma costureira que faz mil sacrifícios para conseguir juntar mais de 30 mil francos para formar o dote de sua filha.
22. Peter Gay. Op. cit., p.21.
23. Gustave Flaubert. Op. cit., p.214.
24. Maria Rita Khel. *Deslocamentos do feminino*, p.95.
25. Apud Peter Gay. Op. cit., p.219.
26. Gustave Flaubert. Op. cit., p.220.
27. "Ele, agora, em Paris, muito longe! Como seria aquela Paris? Que nome imenso! Emma sentia prazer em repeti-lo, à meia-voz, ecoava-lhe nos

ouvidos como um sino de catedral, flamejava-lhe diante dos olhos até mesmo nos rótulos dos potes de coméstico". Ibid., p.49.

28. Ibid., p.218.
29. Idem.
30. Ibid., p.51.
31. Jorge Pedraza. "Le shopping d'Emma", in *Figures mythiques*, p.101.
32. Peter Gay. Op. cit., p.315.
33. Gustave Flaubert. Op. cit., p.52.
34. Sigmund Freud apud Peter Gay. Op. cit., p.316.
35. Idem.
36. Walter Benjamin. "Paris, capital do século 21", in *Walter Benjamin*, p.36.
37. Idem.
38. Gustave Flaubert. Op. cit., p.51.
39. Walter Benjamin. Op. cit., p.38.
40. Ibid., p.43.
41. Gustave Flaubert. Op. cit., p.122.
42. Tania Rebelo Costa Serra. *Antologia do romance-folhetim (1839 a 1870)*, p.21.
43. Muniz Sodré. *Teoria da literatura de massa*, p.79.
44. Ibid., p.157.
45. Marlyse Meyer. *Folhetim: uma história*, p.30-1.
46. Tania Rebelo Costa Serra. Op. cit., p.31 e 149.
47. Marlyse Meyer. Op. cit., p.104.
48. Ibid., p.94.
49. Ibid., p.22.

Desgraça Pouca É Bobagem

1. Marlyse Meyer. *Folhetim: uma história*, p.209.
2. www.rinconlatino.com
3. Marlyse Meyer. Op. cit., p.417.
4. Ibid., p.382.
5. Peter Brooks. *The Melodramatic Imagination*, p.81.
6. Jésus Martín-Barbero. *Dos meios às mediações*, p.164.
7. Ibid., p.166.
8. Silvia Oroz. *Melodrama: o cinema de lágrimas da América Latina*, p.13.
9. Néstor García Canclini. *Consumidores e cidadãos*, p.202.
10. Armand Mattelart, Xavier Delcourt e Michèlle Mattelart. "International image markets", in *Cultural Reader*, p.421.
11. Jésus Martín-Barbero. Op. cit., p.218.
12. Néstor García Canclini. Op. cit., p.36.
13. Reproduzo aqui trechos da reportagem "Telenovela colombiana paraliza totalmente a Cuba a media tarde", divulgada em 29.7.1998 pela AFP, uma

das muitas agências de notícias internacionais que descreveram esse fenômeno cultural.

14. Trecho de "Cuba en vilo por el final de telenovela colombiana", divulgado pela AFP em 27.9.1998.
15. Trecho de "Colombian TV soap opera paralizes Cuba", divulgado pela agência Reuters em 26.9.1998.
16. Trecho de "Cubanos seducidos por *Aguas mansas* de novela colombiana", divulgado pela agência EFE em 4.8.1998.
17. Idem.
18. Trecho de "Telenovela colombiana acapara atención de cubanos", veiculado pela agência de notícias DPA em 10.8.1998.
19. Idem.
20. Trecho de "Las telenovelas latinoamericanas invaden Rumania", veiculado pela agência AP em 13.8.1998.
21. Dados fornecidos pelo site *Telenovelas en el mundo* (www.rinconlatino.com).
22. James Lull. *A China ligada: televisão, reforma e resistência*, p.121.
23. Muniz Sodré. *Teoria da literatura de massa*, p.93.
24. Dados retirados da reportagem "Brasil exporta emoção via TV", publicada pelo jornal *O Globo*, Segundo Caderno, 10.3.2000, p.1 e 6.
25. O acordo foi assinado em Cancún, em 16.7.1998, pelas seguintes redes, de acordo com a agência de notícias EFE: Canal 62 e 9, da Argentina; Illinai de Comunicaciones, da Bolívia; Televisión de Colômbia; Televisora de Costa Rica; Megavisión, do Chile; Gamavisión de Pacífico, do Equador; Telecorporación, de El Salvador; Televisiete, da Guatemala; Companhia Televisora Hondureña; Televicentro, da Nicarágua; Telemetro, do Panamá; Telefuturo, do Paraguai; Companhia Peruana de Radiodifusión; Telemicro, da República Dominicana; Venevisión, da Venezuela; Montecarlo, do Uruguai.
26. Os dados e as entrevistas foram tirados da reportagem "Televisa convoca alianza con 17 televisoras latinoamericanas", divulgada pela agência de notícias EFE em 16.7.1998.
27. *Folha de S.Paulo*, Ilustrada, 13.8.1998, p.8.
28. *O Globo*, Segundo Caderno, 10.3.2000, p.1 e 6.
29. Idem.
30. *Folha de S.Paulo*, TVFolha, 30.4.2000.
31. Idem.
32. *Jornal do Brasil*, Caderno B, 26.3.1999, p.1.
33. *Jornal do Brasil*, Caderno B, 23.7.1997, p.6.
34. Os dados e comentários foram transcritos da reportagem "Auge sin precedentes de televisión en español en EEUU", divulgada pela agência de notícias AP em 12.5.1998.
35. Armand Mattelart. Op. cit., p.434.
36. Ibid., p.436.

37. Muniz Sodré. *Reinventando a cultura*, p.135.
38. Jésus Martin-Barbero. Op. cit., p.282.

NADA PERSONAL

1. Renato Ortiz. *Telenovela: história e produção*, p.23.
2. Idem.
3. Dados fornecidos pela agência de notícias EFE, na reportagem "El reinado Televisa", difundida em 16.7.1998.
4. Dados recolhidos no site www. televisa.com.mex
5. Idem.
6. Francisco Javier Torres Aguilera. *Telenovelas, televisión y comunicación*, p.13.
7. Ibid., p.41.
8. Fátima Fernández. *Los medios de difusión masiva en el México*, p.145.
9. Entrevista concedida ao *The Wall Street Journal Americas*, reproduzida no *Jornal do Brasil*, em 13.6.1998, p.13.
10. Esther Hamburguer, in *História da vida privada no Brasil*, vol. 4, p.448.
11. Idem.
12. Muniz Sodré. *O monopólio da fala*, p.67-8.
13. Ibid., p.103.
14. Inimá Simões. "TV à Chateaubriand", in *Um país no ar*, p.79.
15. Muniz Sodré. Op. cit., p.107.
16. Renato Ortiz. Op. cit., p.165.
17. Maria Rita Kehl. "Eu vi um país na TV", in *Um país no ar*, p.68.
18. Esther Hamburguer. Op. cit., p.484.
19. Ibid., p.444.
20. Informações fornecidas pela reportagem "México saboreia novela engajada", publicada pelo *Los Angeles Times* e reproduzida em 31.12.1996 pelo *Jornal do Brasil*, p.11.
21. *Time Magazine Latin America*, 2.6.1997, p.36-40.
22. Idem.
23. Reportagem "Obra de Carlos Fuentes será adaptada a la televisión", da agência de notícias Associated Press, divulgada em 16.4.1998.
24. Ipigmenio Ibarra, diretor da Argos TV, a companhia produtora das telenovelas *Nada personal* e *Mirada de mujer*, em entrevista para o programa *Escenario*, da CNN em espanhol, de 4.8.1998.
25. Trecho da reportagem "*Mirada de mujer* atrapa a miliones de televidentes", divulgada pela agência de notícias DPS em 24.4.1998.
26. Trecho de "Miliones de mexicanos pendientes de final de *Mirada de mujer*", reportagem distribuída pela agência de notícias AFP em 23.4.1998.
27. Informações contidas na reportagem "Culmina a telenovela que conmovió a México", da agência DPA, 2.4.1998.

28. Trechos da reportagem "Grupos conservadores mexicanos declaran la guerra a telenovela", veiculada pela agência EFE em 20.5.1998.
29. Idem.
30. Idem.
31. Delia Druetta. "A agenda televisiva: diversidade cultural ou proposta global?", in *Políticas de Comunicación*, n.8, 1997.
32. Os dados e entrevistas pertencem à reportagem citada.
33. Revista *Veja*, 19.8.1981, p.69.
34. Revista *Veja*, 17.5.2000, p.149.
35. Renato Ortiz. Op. cit., p.107.
36. *Folha de S.Paulo*, TVFolha, 5.9.1999, p.9.
37. *Jornal do Brasil*, Revista da TV, 8.3.1997.
38. Idem.
39. *Folha de S.Paulo*, loc.cit.
40. Informações contidas no relatório do Comitê de Pesquisa da Associação Brasileira de Propaganda, 30.6.1997.
41. Renato Ortiz. Op. cit., p.91.
42. *Folha de S.Paulo*, Ilustrada, 19.8.1997, p.5
43. *Jornal do Brasil*, Caderno B, 26.3.1999, p.4.
44. *Jornal do Brasil*, Caderno B, 26.3.1999, p.1.
45. *Jornal do Brasil*, Revista da TV, 8.3.1997, p.52.
46. *Jornal do Brasil*, Caderno B, 9.11.1997, p.6.
47. Muniz Sodré. *Reinventando a cultura*, p.163.
48. Lauro César Muniz. "Sexo revoluciona e enriquece a novela", *O Estado de S. Paulo*, Caderno 2, 22.1.1995.
49. Idem.
50. Renata Pallottini. *Dramaturgia de televisão*, p.70.

EL AMOR TIENE CARA DE MUJER

1. Beatriz Sarlo. *Cenas da vida pós-moderna*, p.63.
2. Idem.
3. Teresa de Lauretis. "A tecnologia de gênero", in *Tendências e impasses*, p.206-42.
4. Michel Foucault. *História da sexualidade*, vol.1, p.127. Trata-se de uma apropriação teórica não-autorizada e talvez pouco ortodoxa, já que, ao refletir sobre a tecnologia sexual, Foucault jamais levou em conta os investimentos muitas vezes conflitantes de homens e mulheres nos discursos e nas práticas da sexualidade. Mas essa concepção original não inviabiliza que as descobertas sobre as relações foucaultianas entre sexualidade e poder sejam posteriormente utilizadas para discutir questões de gênero.
5. *Jornal do Brasil*, Caderno B, 9.3.1999, p.1.

6. A melhor sátira ao modelo Cinderela mexicana foi feita na novela brasileira *Torre de Babel* (1998-99). A história de Bina Colombo foi descaradamente copiada da trilogia das *Marias*. Pobre, inocente (e virgem), recebe a herança de uma tia rica, da qual a vizinha falida quer se apoderar. Para isso, convida Bina a viver em sua própria casa, onde poderá fazer seu aprendizado para ingressar na alta sociedade. Deslumbrada, a boa moça se apaixona pelo "príncipe", o bonitão filho da vizinha. Mas, embora a mãe veja no casamento uma chance de a família sair do buraco, o rapaz reluta em se vender. Até que a convivência faz com que abra os olhos para ver a pureza da mulher que está a seu lado. Tudo certo, se o casal escolhido não fosse o mais improvável de todos: uma humorista gorducha e um galã por excelência. A artificialidade da farsa é desmontada pela paródia.
7. Susan Faludi. *Backlash: The Undeclared War Against American Women*, p.140-68. Nesse livro, Faludi discorre durante um capítulo inteiro sobre como os seriados e *soap operas* americanos que romantizavam a vida de mulheres independentes, como *Mary Tyler Moore* nos anos 70, darão lugar a uma série de outros em que o chamado pelo sacrifício da carreira em nome do marido e dos filhos é maior do que tudo, estabelecendo a vitória do "imperativo matrimonial" sobre a *superwoman*.
8. As informações e declarações foram tiradas da reportagem "Culmina telenovela que conmovió a México", veiculada pela agência DPA em 2.4.1998.
9. Beatriz Sarlo. Op. cit., p.65.
10. Talvez nenhuma novela tenha ido tão longe nesse sentido quanto *Selva de pedra* (1986), em que Cristiano não só comete adultério como chega às raias da bigamia e, para não ser descoberto pela noiva rica, aceita que um amigo dê um sumiço na primeira mulher. No final, depois de provar o quanto se sentia culpado pelo suposto assassinato, já que apesar de tudo não é um vilão, mas um mocinho, Cristiano é perdoado pela vítima.
11. Mirian Goldenberg. *A outra: estudos antropológicos sobre a identidade da amante do homem casado*, p.112.
12. Tania Modleski. *Loving with a Vengeance*, p.117.
13. Mirian Goldenberg. Op. cit., p.112.

As Relações Perigosas

1. Andreas Huyssen. *Memórias do modernismo*, p.45.
2. Tania Modleski. *Studies in Entertainment*, p.38-42.
3. Andreas Huyssen. Op. cit., p.45.
4. Roger Chartier. "Cultura popular: revisitando um conceito historiográfico", *Estudos Históricos*, vol.8, n.16, p.179-82.
5. Neal Grabler. *Vida, o filme*, p.44.
6. Dominic Strinati. *Cultura popular: uma introdução*, p.24-35.

7. Jésus Martín-Barbero. *Dos meios às mediações*, p.66.
8. Beatriz Sarlo. *Cenas da vida pós-moderna*, p.65.
9. Jésus Martín-Barbero. Op. cit., p.69.
10. Andreas Huyssen. Op. cit., p.11.
11. Abraham Moles. *O kitsch*, p.10.
12. Jukka Gronow. *The Sociology of Taste*, p.27.
13. Ibid., p.19.
14. Ibid., p.32.
15. Muniz Sodré. *O monopólio da fala*, p.86.
16. Jésus Martín-Barbero. Op. cit., p.58.
17. Abraham Moles. Op. cit., p.11.
18. Ibid., p.188-9.
19. Ibid., p.33.
20. Colin Campbell. *The Romantic Ethic and the Spirit of the Modern Consumerism*, p.2.
21. Ibid., p.220.
22. Ibid., p.222.
23. Ibid., p.156.
24. Denis Rougemont. *L'Amour et l'Occident*, p.167.
25. Peter Gay. *A educação dos sentidos*, p.328.
26. Muniz Sodré. *A comunicação do grotesco*, p.31.
27. Muniz Sodré. *Reinventado a cultura*, p.53.
28. Michèlle Perrot. *Mulheres públicas*, p.120.
29. Muniz Sodré. Op. cit., p.118.

Bibliografia

AGUILERA, Francisco Javier Torres. *Telenovelas, televisión y comunicación.* Cidade do México: Diálogo Abierto, 1994.

ARIÈS, Philippe. *História social da criança e da família.* Rio de Janeiro: Guanabara Koogan, 1978.

ASSIS, Machado de. *Dom Casmurro.* Porto Alegre: L&PM, 1997.

BENJAMIN, Walter. *Walter Benjamin* (org. Flávio Kothe). São Paulo: Ática, 1985.

BLOCH, Howard R. *Misoginia medieval e a invenção do amor romântico ocidental.* Rio de Janeiro: Editora 34, 1995.

BLOOM, Harold. *Shakespeare: a invenção do humano.* Rio de Janeiro: Objetiva, 2000.

BROOKS, Peter. *The Melodramatic Imagination.* New Heaven: Yale University Press, 1996.

CAMPBELL. Colin. *The Romantic Ethic and the Spirit of Modern Consumerism.* Londres: Blackwell, 1989.

CANCLINI, Néstor García. *Consumidores e cidadãos: conflitos multiculturais da globalização.* Rio de Janeiro: Editora da UFRJ, 1995.

_____. *Culturas híbridas: estratégias para entrar e sair da modernidade.* São Paulo: Edusp, 1997.

CHARTIER, Roger. "Cultura popular: revisitando um conceito historiográfico", *Revista Estudos Históricos*, vol.8, n.16. Rio de Janeiro: Editora FGV, 1995.

CORRESPONDÊNCIA DE ABELARDO E HELOÍSA. São Paulo: Martins Fontes, 1997.

COSTA, Jurandir Freire. *Sem fraude nem favor: estudos sobre o amor romântico.* Rio de Janeiro: Rocco, 1998.

COSTA, Sabine Jeannin. *L'histoire du mariage.* Paris: La Martinière, 1994.

COX, Marian Roalfe. *Three Hundred and Forty Five Variants of Cinderella, abstract and tabulated, with a discussion of mediavel analogues.* Londres: Zoesper, 1994.

DUBY, Georges. *Heloísa, Isolda e outras damas do século XII.* São Paulo: Companhia das Letras, 1995.

DRUETTA, Delia. "A agenda televisiva: diversidade cultural ou proposta global?", *Políticas de Comunicación*, n.8. Cidade do México: Universidad Autónoma del México, 1997.

FALUDI, Susan. *Backlash: The Undeclared War Against American Women.* Nova York: Doubleday, 1991.

FERNANDES, Ismael. *Memória da telenovela brasileira.* São Paulo: Brasiliense, 1987.

FERNÁNDEZ, Fátima Christlieb. *Los medios de difusión massiva en México.* Cidade do México: Juan Pablos, 1986.

FLAUBERT, Gustave. *Madame Bovary.* São Paulo: Abril, 1970.

GAY, Peter. *A educação dos sentidos: a experiência burguesa de Vitória a Freud.* São Paulo: Companhia das Letras, 1988.

GOLDENBERG, Mirian. *A outra: estudos antropológicos sobre a identidade da amante do homem casado.* Rio de Janeiro: Record, 1997.

GRABLER, Neal. *Vida o filme: como o entretenimento conquistou a realidade.* São Paulo: Companhia das Letras, 1999.

GRONOW, Jukka. *The Sociology of Taste.* Londres: Routledge, 1997.

HAMBURGER, Esther. "Diluindo as fronteiras: a televisão e as novelas no cotidiano". In: *História da vida privada no Brasil*, vol.4. São Paulo: Companhia das Letras, 1998.

HELIODORA, Bárbara. "Introdução" a SHAKESPEARE, William, *Romeu e Julieta.* Rio de Janeiro: Nova Fronteira, 1998.

KHEL, Maria Rita. *Deslocamentos do feminino: a mulher freudiana na passagem para a modernidade.* Rio de Janeiro: Imago, 1998.

KHEL, Maria Rita. SIMÕES, Inimá Ferreira. COSTA, ALCIR, Henrique da. *Um país no ar: história da TV brasileira em 3 canais.* São Paulo: Brasiliense, 1986.

LAURETIS, Teresa de. "A tecnologia do gênero". In: *Tendências e impasses: o feminismo como crítica da cultura* (org. Heloisa Buarque de Hollanda). Rio de Janeiro: Rocco, 1994.

LÁZARO, André. *Amor: do mito ao mercado.* Petrópolis: Vozes, 1997.

LULL, James. *A China ligada: televisão, reforma e resistência.* Rio de Janeiro: Rio Fundo.

MARTIN-BARBERO, Jésus. *Dos meios às mediações: comunicação, cultura e hegemonia.* Rio de Janeiro: Editora da UFRJ, 1997.

MATTELART, Armand. DELCOURT, Xavier. MATTELART, Michèlle. "International Image Markets". In: *The Cultural Studies Reader.* Nova York: Routledge, 1993.

MEYER, Marlyse. *As mil faces de um herói canalha e outros ensaios.* Rio de Janeiro: Editora da UFRJ, 1998.

_____. *Folhetim: uma história.* São Paulo: Companhia das Letras, 1996.

MODLESKI, Tania. *Loving with a Vengeance: Mass-produced Fantasies for Women.* Connecticut: Anchor, 1982.

_____. *Studies in Entertainment.* Indiana: Indiana University Press, 1982.

MOLES, Abraham. *O kitsch.* São Paulo: Perspectiva, 1971.

OROZ, Silvia. *Melodrama: o cinema de lágrimas da América Latina.* Rio de Janeiro: Funarte, 1999.

ORTIZ, Renato. BORELLI, Silvia Helena Simões. RAMOS, José Mario Ortiz. *Telenovela brasileira: história e produção.* São Paulo: Brasiliense, 1988.

PALLOTINI, Renata. *Dramaturgia de televisão.* São Paulo: Moderna, 1998.

PEDRAZA, Jorge. "Le shopping d'Emma". In: *Figures mytiques*. Paris: Autrement, 1997.

PERROT, Michelle. *Mulheres públicas*. São Paulo: Unesp, 1998.

QUEIRÓS, Eça de. *O primo Basílio*. São Paulo: Abril, 1996.

ROUGEMONT, Denis. *L'Amour et l'Occident*. Paris: 10/18, 1972.

RYBCZYNSKI, Witold. *Casa: pequena história de uma idéia*. Rio de Janeiro: Record, 1996.

SARLO, Beatriz. *Cenas da vida pós moderna: intelectuais, arte e vídeo-cultura na Argentina*. Rio de Janeiro: Editora da UFRJ, 1997.

SERRA, Tania Rebelo Costa. *Antologia do romance-folhetim (1839 a 1870)*. Brasília: Editora da UNB, 1997.

SHAKESPEARE, William. *Romeu e Julieta*. Rio de Janeiro: Nova Fronteira, 1998.

SODRÉ, Muniz. *A comunicação do grotesco: um ensaio sobre a cultura de massa no Brasil*. Petrópolis: Vozes, 1983.

_____. *Best seller: a literatura de mercado*. São Paulo: Ática, 1983.

_____. *O monopólio da fala*. Petrópolis: Vozes, 1977.

_____. *Reinventando a cultura*. Petrópolis: Vozes, 1996.

_____. *Teoria da literatura de massa*. Rio de Janeiro: Tempo Brasileiro, 1978.

STRINATI, Dominic. *Cultura popular: uma introdução*. São Paulo: Hedra.

TOLSTOI, Leon. *Ana Karenina*. Rio de Janeiro: Ediouro, 1978.

TRISTÃO E ISOLDA. Rio de Janeiro: Francisco Alves, 1990.

ZIPES, Jack. *Breaking the Magic Spell*. Nova York: Routledge, 1979.

Periódicos

"Sexo revoluciona e enriquece telenovela". *O Estado de S.Paulo*, Caderno 2, 22.1.1995, p.3.

"México saboreia telenovela engajada". *Jornal do Brasil*, 31.12.1996, p.11.

"Aliança estratégica nas TVs por assinatura". *Jornal do Brasil*, Revista da TV, 13.1.1997, p.13.

"A febre das Chiquititas". *Jornal do Brasil*, Caderno B, 23.7.1997, p.6.

"Globo mexicaniza programação". *Folha de S.Paulo*, Ilustrada, 19.8.1997, p.5.

"Mirada de mujer atrapa a miliones de tevidentes". Agência DPS, 24.1.1998.

"Obra de Carlos Fuentes será adaptada a la televisión". Agência AP, 16.4.1998.

"Miliones de mexicanos pendientes de final de Mirada de mujer". Agência AFP, 23.4.1998.

"Culmina telenovela que commovió a México". Agência DPA, 2.5.1998.

"Grupos conservadores mexicanos declaran la guerra a telenovela". Agência EFE, 20.5.1998.

"TV Azteca revoluciona México". *Jornal do Brasil*, 13.6.1998, p.13.

"El reinado Televisa". Agência EFE, 16.7.1998.

"Televisa convoca alianza com 17 televisoras latinoamericanas". Agência EFE, 16.7.1998.

"Telenovela colombiana paraliza totalmenta a Cuba a media tarde". Agência AFP, 20.7.1998.
"Telenovela colombiana acapara atención de cubanos". Agência DPA, 10.8.1998.
"SBT faz parceria com Televisa". *Folha de S.Paulo*, Ilustrada, 13.8.1998, p.8.
"Las telenovelas latinoamericanas invaden Rumania". Agência AP, 13.8.98.
"Colombian TV soap opera paralyses Cuba". Agência Reuters, 26.9.1998.
"Cuba en vilo por el final de telenovela colombiana". Agência AFP, 27.9.1998.
"Imagem e auto-estima". *Jornal do Brasil*, Caderno B, 9.3.1999, p.1.
"Rede Globo reduz custo de produções". *Folha de S. Paulo*, Ilustrada, 20.3.1999, p.11.
"Deu um nó na rede". *Jornal do Brasil*, Caderno B, 26.3.1999, p.1.
"Novela mexicana amplia seu sucesso". *Folha de S. Paulo*, TVFolha, 5.9.1999, p.8-9.
"SBT faz acordo de US$ 200 milhões". *Jornal do Brasil*, Caderno B, 26.2.2000, p.2.
"Brasil exporta emoção via TV". *O Globo*, Segundo Caderno, 10.3.2000, p.1 e 6.
"TV Globo quer fazer a América com co-produções". *Folha de S. Paulo*, TVFolha, 30.4.2000, p.3
"Silvio ao vivo". *Veja*, 17.5.2000, p.148-58.

Este livro foi composto por TopTextos Edições Gráficas, em Minion e Gill Sans, e impresso por Cromosete Gráfica e Editora em setembro de 2000.